Este t
El Fidecomiso de

El Fidecomiso de los Niños es una fuente
de financiación, creada por los votantes
en referendum para mejorar las vidas
de las niños y las familias
en Miami-Dade.

The Children's Trust

Las siquientes organizaciones
han colaborado en este proyecto.

**The Early Childhood
Initiative Foundation**

Healthy Start Coalition of Miami-Dade

**PEACEWORKS
PEACE EDUCATION
Foundation**

Cómo Criar con Cariño

CCC; Los Primeros Tres Años de la Niñez/Diane
Carlebach y Beverly Tate, con ilustraciones de
Miguel Luciano – Primera Edición
Library of Congress-in-publication Data
ISBN 978-1-878227-90-4

Editado por James Burke II
Diseño del libro y portada por Ron Dilley
Ilustraciones por Miguel Luciano
Traducción y Edición por Yvonne Welcker Sepúlveda

Cómo
Criar con
Cariño

Los Primeros Tres Años de la Niñez

por
Diane Carlebach

y

Beverly Tate

Ilustraciones por
Miguel Luciano

Con un prólogo de David Lawrence Jr.

Traducido y Editado por Yvonne Welcker Sepúlveda

Agradecimientos

A mi querida amiga y colega Beverly, por su cariño, su compasión y sus conocimientos. Este proyecto fué un trabajo que brotó del alma y del compromiso para mejorar la vida de cada bebé, niño y niña pequeños. A mis dos bebés, Adam y Joshua, que ya son hombres. Gracias por enseñarme lo divertido y maravilloso que es "llegar a ser". A Adam por su apoyo, motivación y amor incondicional.

—Diane

A Diane, mi querida amiga y colega, que tiene la capacidad de transformar las palabras comunes y las actividades cotidianas en expresiones maravillosas de cuidado y amor. En realidad tú eres la única que nos encaminó hacia este proyecto y quien contínuamente proporcionó la inspiración y la claridad necesarias.

A mis hijos Brantley, Justin y Whitney que son muy cariñosos. A mis nietos Braden, Kent y Mackenzie, esos bebés; niños y niñas mágicos que son la inspiración y la esperanza de un mundo sensible y cariñoso.

—Beverly.

Gracias a todas las personas, editores y colaboradores que nos apoyaron, ya que sin su ayuda, este libro no sería una realidad. Ellos son John Mazzarella, Lloyd Van Bylevelt, James Burke, Ron Dilley, Chuck Bryant, Marta Moreno, Frank Vega, la Hermana Marie Carol Hurley, O.P., Gail Neuman y Susan Gold. A Barbara Edwards, que queremos muchísimo y quien siempre apoya sinceramente, con mucho entusiasmo todo lo que hacemos. Y, a todos aquellos que nos inspiraron: David Lawrence, Magda Gerber, Dra. Beckey Bailey y Janet González-Mena.

Por este medio, la fundación "Peace Education Foundation" quiere dar las gracias a la fundación "Allegany Franciscan Foundation, Dade County, Inc." por su generosidad y apoyo. También deseamos agradecer al Club "Kiwanis Club of Miami" y a la Fundación "Roblee" por sus donaciones tan generosas.

Contenido

Contenido

Prólogo

Durante muchos años, yo he sabido lo importante que es, crear buenas escuelas de primaria y secundaria, así como también, la importancia de construir un sistema de educación más elevado y mundialmente aceptado. Pero fué, hasta hace poco, que me dí cuenta de que la grandeza nunca podrá surgir, en aquellos(as) estudiantes que no tuvieron un buen comienzo. Estoy convencido de que uno de los usos más inteligentes de nuestros recursos, son el tiempo y el dinero invertidos en los niños y niñas desde el momento de su nacimiento, hasta la edad de los cinco años. Hoy en día creo que el futuro de nuestra comunidad, depende de que la niñez reciba un comienzo firme en la vida.

Hasta hace algunos años, yo formaba parte de aquellas personas que no tenían idea de lo importante que es tener la buena disposición para enseñar; jamás cruzó por mi mente el asunto de la investigación del cerebro. Pero ahora sí estoy consciente de la "ebullición de aprendizaje", que sucede inmediatamente después de nacer. He podido leer varios libros de Alison Gopnik, Andrew N. Meltzoff y Patricia K. Kuhl, tales como: "El científico de la cuna; Mentes, cerebros y la manera en que aprenden los niños y niñas"; y este extracto: "Lo que vemos dentro de la cuna, es la mente más maravillosa que jamás haya existido, es la máquina de aprendizaje más poderosa del universo. Los deditos y la boca son artefactos de exploración, que investigan el mundo extraño a su alrededor, con mucha mayor precisión que un Mars Rover. Las orejitas arrugadas, reciben un zuzurro del ruido incomprensible, que después se perfecciona, convirtiéndose en un lenguaje lleno de significado. Esos ojitos bien abiertos, que algunas veces parecen mirar fijamente dentro de lo más profundo del alma, en realidad lo están haciendoz; descifrando los sentimientos más profundos. La cabecita suave, cubre un cerebro, que se está formando todos los días, con millones de conexiones nuevas".

Intentando afirmar esa misma imagen y esa misma ciencia, descubrí la tragedia que viven los niños y niñas cuando empiezan la escuela y están mucho más atrazados de lo que deberían estar.

Esto no tiene que ver ni con la política, ni con los partidos – así no debe ser.- Este es un asunto de "todos". Recordemos el testimonio que hace poco hizo ante el Congreso la Primera Dama Laura Bush quien dijo: "Es algo muy simple, no existe excusa alguna para que ninguno de nuestros niños y niñas, que son los seres más vulnerables, sean forzados a llegar a la cima al momento en que empiezan la escuela".

"Estar listos para empezar en la escuela" no quiere decir que los niños y niñas de tres años ya sepan leer. El hecho de que su hijo(a) o nieto(a) pueda leer a los cinco, cuatro o tres años, no le hace ser más inteligente que los hijos de los demás. Por el contrario, estar "listo para empezar en la escuela" significa que su crecimiento social, emocional, físico, intelectual y espiritual, está listo y tiene las ganas de aprender al momento de llegar al primer grado. Esto también se relaciona con una mezcla de educación, salud y cuidado en los primeros años de vida.

Olvídese de las imágenes que muestran esos niños y niñas, chiquitos, de tres años, sentados en sus pequeños escritorios, con la maestra enfrente escribiéndoles algo en el pizarrón. Mejor imagínese a nuestros pequeños aprendiendo dentro de un contexto mucho más amplio y diferente. Observe la naturaleza crucial "de los momentos de enseñanza"en los primeros años de la criatura.

Nuestra misión es recibir con gusto aquello que dijo el Dr. Martin Luther King, Jr. cuando habló sobre: "**Todos** los niños de Dios". Durante los primeros años de vida, todos los niños se merecen el cuidado y la educación de calidad, al igual que sus hijos y mis hijos lo merecen también. Recibir amor y cuidado. Tener todas sus vacunas. Recibir una excelente nutrición. Vivir con la mayor seguridad. Fomentar su asistencia en pre-kinder. Recibir un cuidado que integre a la mente, y no el cuidado "en masa" que reciben la mayoría de los niños. El maestro John Dewey dijo: "Lo que la mayoría de los padres y madres inteligentes quieren para sus hijos, es lo mismo que quiere la comunidad para su niñez". Asimismo, el autor James Baldwin escribió: "Ya que todos éstos son nuestros niños, nosotros obtendremos ya sea un beneficio o tal vez pagaremos por lo que ellos lleguen a ser".

¿Hasta dónde más debemos investigar, para saber algo que ya sabemos? Por ejemplo, el poder del "desarrollo del lenguaje", durante los primeros dos años. Cabe mencionar el reciente libro titulado "Diferencias Significativas", escrito por la Dra. Betty Hear y Todd Risley. Ellos escribieron: "Nosotros observamos, que todo lo que los padres y madres hicieron y dijeron a sus hijos, durante los primeros tres años en que aprendían el lenguaje, tuvo un impacto enorme en la manera en que sus hijos aprendieron varios idiomas y la forma en que los utilizaron…Estábamos anonadados acerca de lo bien que nuestra manera de medir los logros a los tres años, predijo las medidas para evaluar las habilidades del lenguaje a la edad de nueve y diez años. Por medio de los datos longitudinales, aprendimos que, al momento de iniciar la escuela, la niñez se enfrenta al problema de las diferencias en las habilidades, que es muy difícil de manejar y es mucho más importante de lo que nosotros pensábamos".

Eso me trae a la mente éste libro titulado: "*Cómo Criar con Cariño*", el cual me parece vital con respecto a todo lo que queremos para la niñez en sus primeros años de vida. Este libro ayuda a favorecer el desarrollo del cerebro del niño, explicando a los padres, madres y cuidadores, la manera en que deben proporcionar a los niños y niñas, respuestas correctas y educativas, durante todas las situaciones, que ocurren, todos los días de su vida. A su vez, éste desarrollo del cerebro, afectará enormemente la habilidad de la niñez para aprender y triunfar en la escuela y en la vida. Sus autores, Diane Carlebach y Beverly Tate, son personas profesionales, muy sensibles y líderes de la comunidad. Ambas están impregnadas con la experiencia del desarrollo en la temprana infancia, el cuidado, la compasión y la educación.

La Editorial en Miami, de la fundación "Peace Education Foundation", cuenta con una amplia y distinguida reputación de servicio a favor de la armonía y la justicia.

David Lawrence Jr.
Presidente
Fundación "The Early Infant Initiative Foundation"
Miami, Florida

Introducción

Cuando los adultos cuidan a los niños y niñas pequeños, algunos se van a los extremos: con tal de apaciguarlos, les permiten hacer lo que quieran, o sino, no los dejan hacer nada, aplicando una estricta disciplina, e incluso llegando al castigo corporal.

Además de que estos extremos a corto plazo, pueden afectar el comportamiento de los niños y niñas, tampoco le ayudan a desarrollar habilidades valiosas para su vida, tales como la confianza, la aptitud social, la compasión, la fortaleza y las habilidades para solucionar sus problemas sin violencia. Todas estas habilidades, son las que van a necesitar para llegar a ser adultos exitosos y sanos.

La obra *Cómo Criar con Cariño* logra llegar a esa meta y proporciona a los padres y madres, así como a las personas especializadas en el cuidado de menores, las respuestas apropiadas a todas esas situaciones conflictivas, que aunque son comunes, son difíciles. Estas respuestas dan ejemplo y modelan el comportamiento impetuoso, dan el lenguaje para solucionar los problemas y crean las actitudes que ayudarán a los bebés y a los(las) pequeños(as) que apenas empiezan a caminar, y que se encuentran bajo el cuidado de los adultos, a crecer y llegar a ser niños y niñas atentos y sensibles, que pueden solucionar sus conflictos exitósamente y sin violencia.

Cómo Criar con Cariño es una obra que ha sido escrita y dirigida a las personas especializadas en el cuidado de menores, así como a todos los padres y madres de familia, que están interesados en hacer crecer y mejorar las relaciones con sus bebés y sus pequeños que empiezan a caminar y que a su vez, son ejemplo y maestros para ellos. Lo más importante para ser padres, es proporcionar cuidado de alta calidad y dar ejemplo de la solución a los problemas sin violencia. Al usar el tiempo y el esfuerzo durante los primeros años de formación de la niñez, se logra infundir en ésta, específicamente durante su infancia, los hábitos y las costumbres sanas, así como las habilidades necesarias en la vida. Las guarderías para el cuidado de los pequeños, así como los hogares que implementan éstos principios, llegan a ser los lugares dentro de los cuales los niños y niñas puede crecer y aprender en paz y con éxito.

La intención de la obra *Cómo Criar con Cariño*, es que los adultos se enfoquen en los comportamientos generales, utilizándolos como medio para identificar y modelar las características que desean desarrollar en la niñez. Mientras más conozcamos todo acerca de la niñez, mejor responderemos hacia su comportamiento. Durante los años de la infancia, los bebés y los pequeños que empiezan a caminar, necesitan que los adultos que están en su vida, sean flexibles, comprensivos, calmados, sensibles, observadores, estén bien informados, sientan empatía y estén dispuestos a platicar y leer.

- ✦ Empatía
- ✦ Solución de los problemas
- ✦ Motivación
- ✦ Reconocer y describir los sentimientos (de ellos y de usted)
- ✦ Describir su mundo y sus interacciones.

Nada sustituye a ser padres y madres de calidad. En los años recientes, con la gran cantidad de padres ejerciendo dos carreras y las familias compuestas por un solo padre o madre soltero(a), la necesidad de un cuidado de calidad, ha crecido enormemente. Desafortunadamente, la buena calidad en el cuidado de menores, no siempre es fácil de encontrar. Un reciente estudio efectuado por la Universidad de Colorado, demuestra que el 40 por ciento de los lugares en que proporcionan cuidado de bebés y pequeños que empiezan a caminar, ponen en alto riesgo la salud y el bienestar de esos niños y niñas. Entre esos riesgos, se encuentran la falta de relaciones cálidas con los adultos que los cuidan y la falta de materiales que promuevan el crecimiento social, físico, emocional e intelectual.

Cómo Criar con Cariño muestra y enseña ese marco ambiental, en el cual usted puede proporcionar a la niñez, el cuidado de calidad que ésta requiere, agregándole valor a su centro, así como proporcionándole a los padres, paz y tranquilidad. Al poner en práctica las enseñanzas, formamos las bases para un éxito literario y académico. De cualquier manera, lo más importante de ésta obra *Cómo Criar con Cariño*, es que le informa acerca de lo que le corresponde hacer a usted hoy en día, para que los bebés y los pequeños que empiezan a caminar, lleguen a ser adultos sanos y felices, el día de mañana.

Nosotros no podemos manejar todos los retos o problemas que surgen. Tampoco podemos tomar en cuenta las diferentes influencias culturales, que afectan a cada persona especialista en cuidado de menores, así como tampoco lo que él o ella digan o hagan. En este libro, lo que proporcionamos es un ejemplo de varias situaciones, haciendo énfasis en las mejores costumbres y en los principios claves, basándonos en las investigaciones actuales y en la comprensión. Enfocarse en testimonios claves y en los principios básicos, ayuda a los(as) cuidadores(as), a responder a las necesidades de los niños y niñas, sin impulsos creados por la frustración o el enojo, sino por el contrario, a responder con un propósito, de manera consciente y racional, proveniente del conocimiento y del entendimiento.

Nosotros podemos utilizar muchos caminos y palabras para formar y educar a la niñez. Interprételas y póngalas en marcha de la mejor manera que le sea possible.

Capítulo Uno **1**

Los bebés necesitan las relaciones para cumplir con sus requerimientos básicos como seres humanos y para poder sobrevivir. Las relaciones que son positivas y sanas, les brindan el sentido de confianza y seguridad. Aquellos adultos que no responden de manera correcta a las señales o muestras del bebé, pueden estar creando relaciones negativas y enfermizas. Los adultos pueden fortalezer las relaciones positivas teniendo conversaciones con los bebés, hablándoles en tonos suaves y dulces acerca de cada pequeño evento y proceso. Los adultos pueden expresar con palabras la comunicación amplia de los bebés, describiendo sus gestos, movimientos y sonidos vocales. El hecho de hacer de estas conversaciones una costumbre, no solamente establece el cuidado y la seguridad que necesitan los bebés, sino también, se extiende hacia una amplia y rica base de lenguaje y literatura, llegando al éxito académico en el futuro.

Los bebés saludables:

✦ Nacen listos para comunicarse y formar relaciones

✦ Lloran para comunicar una incomodidad física o emocional y "se arrullan" para comunicar placer

✦ A la edad de dos o dos meses y medio, comienzan de manera consciente, a responder con sonrisas

✦ Reconocen y responden a las personas que les son familiares

✦ Progresan del movimiento involuntario, al movimiento voluntario

✦ Dependen físicamente y emocionalmente de los demás

✦ Necesitan moverse para desarrollar su cerebro y su cuerpo

✦ Crean rutinas que se pueden identificar y predecir

¿Qué nécesitan los bebés por parte de los adultos?:

✦ Acercamiento físico, como tocar y abrazar

✦ Respuestas a sus señales de agrado o desagrado, de enfoque o de no enfoque

✦ Tiempo y espacio para su movimiento independiente

✦ Escuchar las voces conocidas, hablándoles, para crear un sentido de comodidad y la oportunidad de que aprendan el lenguaje

✦ Que sus llantos y sus vocalizaciones, sean entendidas y diferenciadas.

Llanto para Expresar Necesidades

Entendiendo la angustia física

SITUACIÓN:

Ivy tiene dos meses de edad y ha estado muy contenta sentada en una cobija en el piso, mirando y tratando de alcanzar los juguetes. Cuando se empieza a sentir incómoda, el adulto se acerca, la carga y trata de alimentarla con el biberón. Ivy comienza a llorar y voltea la cara cada vez que el adulto quiere ponerle el biberón en la boca.

RESPUESTA COMÚN DEL ADULTO:

Con el fin de calmarla, el adulto carga al bebé sin previo aviso no fisico. El continuar tratando de utilizar, una estrategia que no responde al aviso del bebé es una estrategia que no funciona.

RESPUESTA CONSCIENTE DEL ADULTO:

Un lenguaje descriptivo y afectuoso:

Cuando el bebé se siente incomodo, el adulto debe de recorrer mentalmente una lista preguntándose lo siguiente: **"¿Estarás mojado?"; "¿Tendrás hambre?" "¿Necesitas que te hable? ¿Necesitas que te arrulle? O ¿Necesitas que camine contigo?" "¿Quieres irte a dormir?" "¿Quieres cambiar de posición?"**

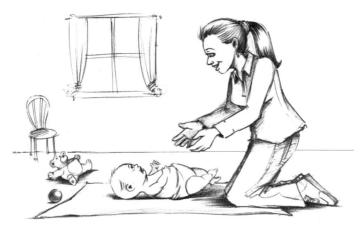

Luego se sienta al lado de Ivy y comienza a hablarle: **"Ivy, me estás tratando de decir que algo está mal. Me voy a sentar aquí contigo hasta que sepamos que es lo que necesitas"**. El hecho de esperar pacientemente por una respuesta y reconocer la incomodidad en voz baja y acariciándola, ayuda a calmar la interacción con Ivy. Si ella se calma, sabrá que su necesidad era el estar junto a usted. Si Ivy continua incómoda, piense en otra posibilidad, como por ejemplo: **"Vamos a ver si quieres cambiar de posición. Voy a cargarte y vamos a ver si esto te**

---

ayuda". Si Ivy continua incómoda, verifique, de manera consciente y tranquila, las necesidades físicas como el pañal, la temperatura del cuarto, etc.

¿POR QUÉ HACEMOS ESTO?

Los bebes comunican sus necesidades físicas ya sea demostrando incomodidad o llorando. Ellos dependen de la respuesta de los adultos y de que no los ignoren. El trabajo del adulto es interpretar las necesidades del bebédesde el punto de vista del conocimiento y el afecto. Observar y responder a las señales físicas de los bebes, lleva a los adultos a reconocer lo que el bebé necesita.

ESTRUCTURA DEL CONCEPTO:

Punto de vista del niño o niña:

"Físicamente estoy incomodo y necesito que me ayuden. Cuando me volteo, quiero decirte que lo que estás haciendo, no funciona".

¿Cuál es la importancia de esto?

Al prestarle atención al bebéy al describir las acciones físicas que estamos haciendo para solucionarle su incomodidad, le estamos diciendo que se los vemos como un ser humano en desarrollo y no como un objeto sin sentimientos ni conocimientos. También le proporcionamos un lenguaje y un entendimiento a la angustia a través de a las acciones que estamos llevando a cabo. Para poder cumplir debidamente con las necesidades de los bebes, los adultos deben responder y entender que un acercamiento consciente y tranquilo les va a ayudar a ambos, al adulto y al bebe, a descubrir la necesidad física y a implementar las estrategias para solucionar la incomodidad. Es esencial proporcionar al bebéel tiempo necesario para que interiorice la acción. Ir de una estrategia a otra sin darle tiempo y con el fin de acabar con laincomodidad lo antes posible, llegará a crearle más estrés.

EL COMPORTAMIENTO EN GENERAL Y EL DESARROLLO NORMAL:

Cuando los bebes se sienten incómodos físicamente, lloran para que alguien venga a ayudarles, ya que no son capaces de pararse y solucionar sus problemas por sí mismos. Estos "llantos pidiendo ayuda" son las oportunidades que tiene el adulto para comprender mejor al bebéy sus necesidades. Cuando los adultos responden, están desarrollando el sentido de confianza en la relación.

Los bebes son seres humanos en crecimiento, no son objetos. Ellos necesitan que se les reconozca antes de cargarlos o pasarlos de brazos de un adulto a otro. Ya sea en situaciónes tranquilas o tensas, el hecho de moverlos sin avisarles les confunde y asusta por ser algo inesperado.

ACTITUDES Y COMPORTAMIENTOS QUE CREAN COMUNIDADES CON SENSIBILIDAD:

✦ **"Yo confío en ti y cuando estés nervioso o incomodo voy a apoyarte de una manera tranquila y afectuosa. Te observaré y buscaré tus señales físicas para determinar lo que debo hacer para ayudarte".**

CAPACIDAD DE RESPONDER CONSCIENTEMENTE A DIARIO:

✦ Responder ante la incomodidad de los bebes con cariño y conocimiento.

✦ Reconocer que los bebes tienen sentimientos y están conscientes.

✦ Describir a los bebes lo que les está sucediendo, a la vez que los movemos de lugar o los cargamos.

✦ Observar y fijarse bien en las señales que nos comunican las necesidades de los bebes.

CONSEJOS ADICIONALES:

Alternativas para que el adulto actúe conscientemente, manteniéndose objetivo y racional:

Si usted ya revisó mentalmente su lista, ya le dio a Ivy el tiempo necesario para responder a cada opción, ya se ha tomado el tiempo para leer las respuestas e Ivy aún no se tranquiliza, camine con la bebéy salgan del cuarto (siempre y cuando el tiempo lo permita), esto generalmente resulta en un efecto calmante.

¿Lo Vas a Consentir en Todo?

Cómo reaccionar para crear una buena relación

SITUACIÓN:

Ana está con Luisito, que tiene tres meses de edad. Ella acaba de terminar de darle de comer y ya lo hizo eruptar. Ahora va a comenzar el proceso de cambiarle el pañal. Una vez que termina de cambiarle el pañal, Ana lo pone sobre una cobija, junto a ella, mientras se sienta con su amiga Tere, para platicar. Luisito se empieza a poner incómodo. Ana lo toma de la mano y lo deja jugar con su dedo, pero él empieza a llorar. Ana le dice: "Ay Luisito, desde hace dos días que estás muy incómodo. ¿Qué es lo que necesitas?" Ana se para y lo carga.

Respuesta Común del Adulto:

"Ana, déjalo que llore.
Si lo cargas cada vez que
llora, lo vas a consentir
y a maleducar".

Respuesta Consciente del Adulto:

Un lenguaje descriptivo y afectuoso:

Para Ana y Luisito: Ana puede sentirse molesta porque Luisito
está incómodo. Si es así, lo que debe hacer para calmarlo
es detenerse, respirar profundo y reflexionar sobre aquello
que sí le funcionó en el pasado. Por ejemplo: arrullarlo y
decirle: "**Luisito, la última vez que estabas irritado, yo
te arrullé y te gustó. Vamos a hacerlo de nuevo**". Si
esta vez, lo arrulla y no funciona, entonces escoja otra
estrategia, como cantarle o hablarle en voz baja y dulce,
hacerle cariños en sus brazos o en su espalda, abrazarlo
o caminarlo. La cuidadora le puede decir a Luisito: "**Ya
sé que esta vez no quieres que te arrulle, así que vamos
a tratar de caminar**".

Finalmente, no se dé por vencido(a). Recuerde que
identificar y absorber un hábito de estar en calma,
toma tiempo y práctica.

Para Tere: puede ofrecer su apoyo a Ana y a Luisito "**Dime
si quieres que te ayude con Luisito. A mis hijos les
gustaba mucho que yo les cantara**".

¿POR QUÉ HACEMOS ESTO?

Es muy importante que Luisito se sienta unido a la persona en quien confia y quien le ayuda a encontrar la calma. El tiempo que él pase con ese adulto, y el tiempo en que practiquen un método firme para calmarse, le van a ayudar a crear un camino, hacia donde podrá dirigirse, para encontrar la calma. Entre más pronto el(la) cuidador(a) descubra o desarrolle un método básico, para que el bebé se calme, más pronto estará estableciendo las bases para calmarse a sí mismo(a).

Al describir a los bebés, lo que estamos haciendo y la razón por la cual lo hacemos; ejemplo: "La última vez que estabas molesto, te arrullé y te gustó", les otorga una conexión verbal y física con el(la) cuidador(a), ya que al hablarles, el adulto está reconociendo y aceptando al bebé, como un ser humano, que tiene necesidades y sentimientos. Esto moldea el auto-aprendizaje, que es un método de procesamiento, que ayuda a las personas a ordenar y a solucionar los problemas.

ESTRUCTURA DEL CONCEPTO:

Punto de vista del niño o niña:

"Estoy incómodo(a) y no sé qué hacer para sentirme mejor."

¿Cuál es la importancia de esto?

Una respuesta sensible y consciente, desarrolla la seguridad emocional de Luisito, ya que el adulto está reaccionando a sus necesidades emocionales. El pequeño aprende a confiar en los adultos que están en su mundo. También comienza a experimentar lo bien que se siente al estar en calma. Conforme el bebé va creciendo, éste es el primer paso que le ayudará a desarrollar métodos sanos, para tranquilizarse a sí mismo.

EL COMPORTAMIENTO EN GENERAL Y EL DESARROLLO NORMAL:

Dependiendo de la personalidad y de algunas condiciones físicas, los bebés necesitan más oportunidades para crear la confianza y los hábitos para calmarse. Los adultos más importantes para la vida del bebé, son aquellos que le ofrecen los caminos para encontrar la calma y así crear su propio método para calmarse. Si el niño o la niña se siente en calma cuando le arrullan, cuando camina, cuando se le acaricia con una palmada o cuando le cantan, quiere decir que una o varias de éstas acciones, van a ser el método principal que le dará la calma.

A los niños y niñas que se les da tranquilidad, calma y a quienes se les abraza durante el primer año de vida, son los que exigen menos atención, ya que han aprendido a confiar en los adultos que les rodean y saben que les ayudarán con sus necesidades, dándoles tranquilidad y calma cuando la necesiten. Ayudar a a los bebés a cumplir con sus propias necesidades, les proporciona la base de una seguridad emocional. Por lo cual, el hecho de cargar a un niño o niña que esté incómodo, no lo consciente para nada, al contrario, le ayuda a llegar a ser emocionalmente seguro. La seguridad emocional es la base para que un niño o niña sea fuerte y socialmente adaptable.

ACTITUDES Y COMPORTAMIENTOS QUE CREAN COMUNIDADES CON SENSIBILIDAD:

✦ "Cuando llores, yo sabré que eso es señal de que necesitas calma."

CAPACIDAD DE RESPONDER CONSCIENTEMENTE A DIARIO:

✦ El hecho de mecer, caminar, hablar, acariciar suavemente y cantar, ayuda a los bebés a encontrar la calma.

CONSEJOS ADICIONALES:

Alternativas para que el adulto actúe conscientemente, manteniéndose objetivo y racional:

Al tratar de manejar a una criatura que no responde conscientemente, a sus cuidados y a su manera de tranquilizar, es muy posible, que usted llegue a quedar física y emocionalmente exhausto(a). En ese caso, será necesario que se tome un descanso, para reabastecer sus energías. Intente tener estrategias a la mano para poder manejar este tipo de situaciones:

1. Pídale a alguien que tome su lugar por un rato.

2. Si no tiene a nadie, coloque al bebé en algún lugar seguro, que le sea familiar y continúe hablándole a cada rato, de manera que escuche su voz. Esto mantendrá la conexión entre ustedes, de modo que la criatura no se sienta abandonada. El(la) cuidador(a) le puede decir: "Luisito, voy a ponerte aquí, pero yo estaré cerca de tí."

3. Para poder cumplir con las tareas esenciales de la vida cotidiana, intente usar un colgador o bolsa de tela, que le ayudará a tener a la criatura cerca de su cuerpo, dejándole las manos libres para trabajar.

Cambio de Pañales

Tomar las Rutinas Como Actividades Interactivas y No de Distracción

SITUACIÓN:

El adulto carga a Lidia que tiene cuatro meses de edad y le dice: "Vámonos Lidia" y la lleva hacia la mesa para cambiarle el pañal. Al colocar a Lidia en la mesa, le dá cuerda al móvil musical que está colgado, moviendo a Lidia al compás de la música y cantando la tonada del móvil.

RESPUESTA COMÚN DEL ADULTO:

El momento en que comienza a cambiar el pañal, el adulto dice: "¡Lidia! Mira como dá vueltas el móvil. Qué bonito ¿verdad?"

LA RESPUESTA CONSCIENTE DEL ADULTO:

Un lenguaje descriptivo y afectuoso:

El adulto sensible camina hacia donde está Lidia, se sienta al lado de ella y espera a que Lidia lo mire. Una vez que Lidia se ha dado cuenta de su presencia, el adulto dice: **"Lidia, es hora de cambiarte el pañal"**. El adulto la carga en sus brazos y espera a que Lidia reaccione o responda. Por ejemplo: Mirar a los ojos, mover su cuerpo, etc. Entonces el adulto la levanta y la coloca en el acolchonado diciendo: **"Lidia, voy a quitarte el pañal mojado"**. El adulto sensible continúa describiendo, paso por paso, lo que está haciendo para cambiar el pañal. Necesita tener contacto visual lo más posible y detenerse momentáneamente, antes de comenzar cada paso.

¿POR QUÉ HACEMOS ESTO?

El tiempo y la atención que se le otorga a este proceso interactivo, de cambiar el pañal, crea un sentido de intimidad mayor con Lidia. El adulto sensible que utiliza este tipo de interacción, profundiza su conocimiento y comprensión, al entender que el cambio de pañal, así como cualquier otra rutina diaria, son de hecho, rituales que se convierten en experiencias muy valiosas para los bebés.

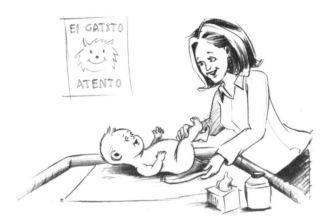

ESTRUCTURA DEL CONCEPTO:

Punto de vista del niño o niña:

"Yo quiero saber lo que me están haciendo"

¿Cuál es la importancia de esto?

Al momento en que el adulto sensible, le describe a Lidia, paso por paso, lo que le está haciendo, le ayuda a crear un mayor sentido de confianza hacia ese adulto, ya que Lidia no fué sorprendida, ni la tomaron desprevenida, para cambiarle de pañal. Lidia necesita ser informada sobre lo que le está pasando y debe estar directamente conectada y envuelta en todo el proceso, sin distraerse. Una vez que su atención se enfoca en el adulto, ésta es la oportunidad para que su relación crezca y se fortalezca. Desde ese momento, la rutina y proceso pronosticables de cambiar el pañal, ayudan a Lidia a comprender la manera en que las demás personas la cuidan. Esto presenta la base para que la criatura aprenda a cuidarse a sí misma.

EL COMPORTAMIENTO EN GENERAL Y EL DESARROLLO NORMAL:

Los bebés tienen una necesidad básica de crear relaciones. Los adultos cumplen con esa necesidad, al darles cuidado y demostrarles la comunicación verbal y no verbal. Por ejemplo: Describir al bebé lo que le está sucediendo, lo que le rodea, decirle lo mucho que se le quiere, sonreirle, o cargarlo con una expresión cariñosa y de amor. Si sus necesidades se cumplen, estará dispuesto(a) a comprometerse y a responder a esa comunicación verbal y no verbal. Los bebés escuchan los sonidos del lenguaje y empiezan a participar tomando su turno para conversar. Comúnmente, a esta etapa del desarrollo se le llama "período de enamoramiento", ya que están muy dispuestos a conectarse con los adultos que participan en sus vidas.

ACTITUDES Y COMPORTAMIENTOS QUE CREAN COMUNIDADES CON SENSIBILIDAD:

✦ "El tiempo que uso para cambiarte el pañal, también voy a usarlo para que podamos conectarnos y fortalecer nuestra relación".

CAPACIDAD DE RESPONDER CONSCIENTEMENTE A DIARIO:

✦ Involucrar al bebé en todo lo que está pasando, por medio de la descripción

✦ Respetar al bebé haciendo las cosas juntos y no siendo usted quien hace todo

✦ Estar atento(a) a todas las respuestas del bebé

CONSEJOS ADICIONALES:

Alternativas para que el adulto actúe conscientemente, manteniéndose objetivo y racional:

Evaluar la situación. Si al momento de iniciar el cambio del pañal, Lidia se comporta molesta o empieza a moverse sin parar, el adulto que es sensible, deberá hacerlo de manera rápida o lenta, dependiendo de la actitud de la criatura.

Tomando Turno al Hablar

Construyendo Relaciones

SITUACIÓN:

Elba está sentada con su hijita Leticia, que tiene cinco meses. Leticia empieza a "arrullarse" y a sonreir. Elba le dice: "Leticia, yo sé que tú me estás hablando". Leticia se carcajea. Elba le dice: "¡Tú eres una niña muy feliz! Me encantas cuando te ríes". Leticia vuelve a arrullarse, mientras está sentada en las piernas de su mamá. Elba sigue hablándole. Leticia se voltea y termina el contacto visual con su mamá.

Respuesta Común del Adulto:

Elba se inclina hacia Leticia para poder continuar viéndola cara a cara y seguirle hablando. "Leticia, voltea a ver a tu mami ¿dónde quedó esa sonrisa?"

Respuesta Consciente del Adulto:

Un lenguaje descriptivo y afectuoso:

Cuando Leticia se voltea, está indicando que ya no quiere seguir hablando. **"Leticia, me encanta cuando me hablas, pero ahora me doy cuenta, de que ya terminaste de hablar".** Elba ha leído la señal de Leticia al momento en que se volteó y dejó de hablar. Elba se mantiene cerca, esperando que Leticia vuelva a mirarla otra vez.

¿POR QUÉ HACEMOS ESTO?

Porque durante las conversaciones con los bebés, es importante tomar su turno para hablar, de esa manera usted construye intimidad y buenas relaciones. Hablar con el bebé modela una comunicación eficaz y sensible. Los bebés escuchan los sonidos del idioma o el lenguaje que van a hablar y se sienten aceptados(as) como parte de la conversación.

ESTRUCTURA DEL CONCEPTO:

Punto de vista del niño o niña:

"Ya no quiero hablar más".

¿Cuál es la importancia de esto?

El crecimiento y desarrollo de los bebés, necesita estar conectado con los adultos que están en su vida, aunque también al igual que los adultos, los bebés necesitan tiempo para desconectarse. Aquellos adultos que saben leer eficazmente las señales de los bebés y responden conforme a éstas, están respetándo la necesidad del bebé para conectarse o desconectarse. Para que los bebés aprendan a hacer sonidos (las bases del lenguaje), necesitan tiempo, apoyo y la oportunidad de practicar la pronunciación de sus palabras. El adulto que fomenta con entusiasmo dicha pronunciación y a la vez toma su turno para hablar, está contribuyendo a la mejoría de este desarrollo.

EL COMPORTAMIENTO EN GENERAL Y EL DESARROLLO NORMAL:

Lo esencial de una conversación es saber tomar el turno para hablar. Por ejemplo: Yo hablo, tú escuchas, luego tú hablas y yo escucho. Para poder tomar cada quien su turno, el adulto debe esperar en silencio, para que el bebé le responda. El contacto visual indica que el bebé está interesado y desea participar en la conversación. El hecho de voltear la cabeza hacia otro lado o ya no continuar con el contacto visual, significa que el bebé terminó la conversación en ese preciso momento.

Para que la conversación con el bebé sea eficaz, debe estar basada en la descripción: de lo que están haciendo ("Tú me estás viendo"), de lo que está sucediendo alrededor ("¡Ah! Puedo escuchar el ruido de un automóvil ¿quién podrá ser?"), de lo que siente hacia él o ella ("Te quiero mucho") y repitiendo los sonidos que hace la criatura.

Actitudes y Comportamientos que Crean Comunidades con Sensiblidad:

✦ Yo sé que debo tomar mi turno para hablar, pues es la base de toda buena conversación, además de que es posible y es esencial, para poder tener conversaciones con los bebés.

Capacidad de Responder Conscientemente a Diario:

✦ Observar las señales y las respuestas.

Consejos Adicionales:

Alternativas para que el adulto actúe conscientemente, manteniéndose objetivo y racional:

Las conversaciones con los bebés tienen que ser naturales y calmadas. Para muchos adultos tal vez esto requiera de práctica. Hable con los pequeños de la misma manera en que usted habla con un amigo. Practique frecuentemente.

Durante el primer año de vida, comience a leerle a los bebés e inicie conversaciones acerca de las historias. Esto estimula las conexiones del cerebro que activan el lenguaje hablado y en el futuro, la capacidad de leer y escribir.

Ansiedad de Separación

Tomarse el Tiempo Durante las Transiciones

SITUACIÓN:

Pedro tiene ocho meses de edad. El y sus padres van llegando a la guardería. Las dos personas que lo cuidan están de pié a la entrada, hablando. En ese momento los reciben, pidiéndole a los padres de Pedro, que lo coloquen en el suelo. Al momento en que los padres intentan colocarlo sobre la cobija, Pedro comienza a llorar y no se despega de su mamá. Una de las cuidadoras se dá cuenta de las miradas de preocupación de los padres.

RESPUESTA COMÚN DEL ADULTO:

"¡Oh! Por favor no se preocupen por Pedro. El va a estar bien. Déjenlo allí. El siempre deja de llorar cuando ustedes se van".

RESPUESTA CONSCIENTE DEL ADULTO:

Un lenguaje descriptivo y afectuoso:

La cuidadora principal recibe a Pedro con los brazos abiertos y lo mira a los ojos para conectarse con él y para asegurarse de que está listo para dejar ir a sus padres. La cuidadora puede decir: **"Buenos días Pedro. Te estaba esperando. ¿Quieres que te cargue, mientras que tus papás dejan tus cosas allí?"**

Si Pedro se niega, la cuidadora debe reconocer y aceptar su respuests **negativa diciendo: "Pedro, me doy cuenta de que todavía no estás listo para despedirte"** y camina con él y sus padres hacia la cobija. En ese momento, Pedro, sus padres y la cuidadora se sientan en la cobija, a la vez que aprovechan esos minutos, para compartir información importante. Por ejemplo: La hora en que Pedro tomó su última comida, si durmió bien, etc.

Cuando llegue el momento en que los padres deben irse,
dígale a Pedro: **"Papá y mamá tienen que irse a trabajar, así
que ahora te podrás quedar conmigo. Cuando terminen de
trabajar, van a venir a recogerte para llevarte a la casa"**. Si
Pedro empieza a llorar, describa lo que usted piensa que está
sintiendo. Por ejemplo: **"Tú estás llorando porque no quieres
que tu mamá y tu papá se vayan, pero yo voy a estar contigo"**.

¿POR QUÉ HACEMOS ESTO?

Porque durante esta etapa, Pedro y sus padres necesitan mucho
apoyo y conexión, ya que deben sobreponerse a la ansiedad
que sienten, debido a la separación. Proporcionar tiempo y
atención a esta etapa de transición, fortalece la confianza y la
cercanía que Pedro tiene con sus padres y su cuidadora.
Los(las) cuidadores(as) que comprenden, reconocen, aceptan
y ayudan durante la difícil separación, están creando lazos
muy fuertes entre los padres y sus hijos.

ESTRUCTURA DEL CONCEPTO:
Punto de vista del niño o niña:

"¡No quiero que se vayan!"

¿Cuál es la importancia de esto?

Los bebés necesitan el apoyo físico y emocional para poder superar el estrés. El apoyo físico y emocional, les dá el mensaje de que sus sentimientos están siendo reconocidos y que son muy importantes. Cuando se le dá confianza al bebé, en los momentos de aflicción, su crecimiento social y emocional se nutre de manera positiva.

EL COMPORTAMIENTO EN GENERAL Y EL DESARROLLO NORMAL:

Entre los siete y los once meses de edad, los bebés comienzan a entender, que cuando sus padres se van, ellos ya no están juntos. Comúnmente, nosotros nos referimos a la "Ansiedad de separación", a la tristeza y miedo que se exhiben como consecuencia de dicha separación.

ACTITUDES Y COMPORTAMIENTOS QUE CREAN COMUNIDADES CON SENSIBILIDAD:

✦ "Cuando te sientas angustiado(a) emocionalmente, yo estaré contigo para ayudarte a superar ese miedo".

CAPACIDAD DE RESPONDER CONSCIENTEMENTE A DIARIO:

✦ Reconocer y describir la ansiedad que siente el bebé, debido a la separación y cargarlo(a) le confirma que sus emociones son reales e importantes.

CONSEJOS ADICIONALES:

Alternativas para que el adulto actúe conscientemente, manteniéndose objetivo y racional:

Continúe cargando y calmando a Pedro el mayor tiempo posible.

En el caso de que otras familias aparezcan y Pedro continúe llorando, la cuidadora puede decir: "Pedro se siente muy triste esta mañana, por eso estoy cargándolo".

Si Pedro sigue llorando y la cuidadora debe de recibir y cuidar a otro niño, ésta debe mantener a Pedro lo más cerca posible, mientras cuida a Sara, diciendo: **"Pedro, ahora voy a cuidar a Sara, pero tú te puedes sentar aquí con nosotras"**.

Cantando con los Bebés

Entendiendo el Desarrollo de la Niñez

SITUACIÓN:

Están en el patio de juegos y los adultos se han reunido junto con cuatro bebés, entre las edades de tres a ocho meses y están listos para cantar. Juanito, que tiene cuatro meses, está en el piso jugando con juguetes especiales para su edad. Otra persona trae a Margarita, que tiene ocho meses y a Carlos, que tiene seis, para que se integren al grupo. En ese momento traen al resto de los bebés que viene del desayuno. Los adultos comienzan a cantar: "Allí va la hormiguita buscando su casita", a la vez que mueven las manos. Mientras están cantando, Margarita gatea alejándose y Juanito toma un juguete y se lo mete a la boca, a la vez que Carlos aplaude y se mece al ritmo de la música.

RESPUESTA COMÚN DEL ADULTO:

El adulto carga a Juanito y lo voltea para que quede mirando al resto del grupo. Luego vá por Margarita y la pone sobre sus rodillas. La otra persona dice: "Ustedes tienen que quedarse junto a nosotros porque es la hora de cantar. Carlitos ¿verdad que a tí sí te gustó la música? ¿Quieres cantar otra canción?" El adulto espera su respuesta. Carlitos continua meciéndose y sonriendo, por lo cual el adulto empieza a cantar otra canción.

RESPUESTA CONSCIENTE DEL ADULTO:

Un lenguaje descriptivo y afectuoso:

El adulto está sentado en el piso y se dá cuenta de que Carlos no está interesado en esa actividad. Esa persona sabe que ayer a Carlos sí le gustó la canción de la hormiguita y empieza a cantarla moviendo sus manos. Una vez que la canción empieza, Carlos gatea hacia la persona que canta. Esta le dice: **"Te gusta ésta canción ¿verdad?"** y la canta otra vez junto con él. La persona adulta nota que Carlos disfruta mucho de la canción y dice: **"Vamos a cantarla de nuevo"**.

Mientras ellos cantan, Margarita gatea alrededor del cuarto de juegos. Pasa gateando frente a ellos. Para por un momento y luego se aleja gateando otra vez.

Juanito que está en el piso junto a ellos, continua mordiendo los juguetes que tiene al lado.

¿Por qué Hacemos Esto?

Todos los intereses de los pequeños que empiezan a caminar, tales como: moverse, explorar, morder los objetos que tienen alrededor y disfrutar de la música, deben respetarse y no ser interrumpidos. Los adultos sensibles y conscientes, apoyan el desarrollo del interés hacia la música, y no obligan al pequeño a escucharla, antes de que ese niño o niña muestre su interés por ella.

Estructura del Concepto:

Punto de vista del niño o niña:

Para Carlos: "Me gusta la canción de la hormiguita"

Para Margarita: "Necesito moverme para explorar"

Para Juanito: "Necesito morder los objetos para explorar"

¿Cuál es la importancia de esto?

Podemos esperar que el canto, al igual que las conversaciones, estimulen el desarrollo del cerebro y ayuden a construir relaciones. Lo que no se puede esperar, ni es apropiado para los bebés, es que se mantengan sentados y quietos. Es natural que los pequeños se sientan atraídos por la música y el ritmo y cuando estén listos van a demostrarlo claramente.

EL COMPORTAMIENTO EN GENERAL Y EL DESARROLLO NORMAL:

Al interrumpir el enfoque y la atención del niño o niña, se crean limitaciones para su desarrollo sano.

Los bebés que están inmóviles, exploran su medio ambiente por medio del tacto y mordiendo todos los objetos que están a su alcance. El pequeño que está inmóvil, depende de los adultos para que le proporcionen varios tipos de juguetes y objetos, que no sean peligrosos y que sean adecuados para su edad.

Una vez que los pequeños que empiezan a caminar comienzan a moverse, ellos exploran y absorben su medio ambiente por medio del movimiento y del tacto. La libertad de movimiento es escencial para el desarrollo del cerebro.

Cantar con los niños y niñas es muy importante y se considera correcto para el desarrollo social, emocional y de lenguaje. Esto debe surgir espontáneamente durante el día:

✦ Cante canciones mencionando los nombres de sus niños en ellas o invente otras acerca de lo que están haciendo.

✦ En los momentos de tensión, cante para calmar a sus niños o para que se relajen.

✦ Cante como respuesta a los arrullos o pronunciaciones de palabras de los pequeños.

✦ Reponda ante cualquier música ambiental. Por ejemplo: clásica, cultural o de percusión.

✦ Cante mientras cambia el pañal o está vistiendo a los pequeños.

✦ Cante canciones que las familias cantan en sus hogares.

✦ Cante mientras cambia de una actividad a otra.

✦ Cante sus canciones favoritas una y otra vez.

✦ Comience a cantar cuando estén en el momento más tranquilo de una actividad.

✦ "Baile" con aquellos pequeños que muestren interés por cierta música o ritmo en particular.

Observar las respuestas hacia la música y hacia los ritmos de los bebés, es la clave para brindarles el apoyo musical que necesitan. Así mismo a quienes les interesen sirve para planear otras experiencias musicales diferentes. La repetición permite que el niño ó la niña absorba el lenguaje y la estructura de la canción, lo cual es la base para su futura lectura y escritura.

ACTITUDES Y COMPORTAMIENTOS QUE CREAN COMUNIDADES CON SENSIBILIDAD:

✦ "Vamos a cantar canciones y a escuchar música durante todo el día".

CAPACIDAD DE RESPONDER CONSCIENTEMENTE A DIARIO:

✦ Durante todo el día utilice la música y el ritmo de manera espontánea.

CONSEJOS ADICIONALES:

Alternativas para que el adulto actúe conscientemente, manteniéndose objetivo y racional:

Si ninguno de los pequeños responde a esa canción, intente cantar alguna otra que les sea conocida.

Si ninguno de los pequeños responde, intente otro momento del día para cantar.

Algunas veces, durante el día, usted puede poner música clásica de fondo, incluso durante la siesta la puede poner a bajo volumen.

Capítulo **2**
Dos

Bebés en
Movimiento

Los bebés que están en movimiento, van camino hacia
su autonomía e independencia, las cuales obtendrán
a través de su nuevo descubrimiento que es la
movilidad. La curiosidad les lleva a una pasión por explorar.
La niñez que siente una cercanía segura con los adultos de su
medio ambiente, va a tomar el riesgo de moverse, de alejarse
de esas personas y de comenzar a explorar. Cuidar a los bebés
en movimiento puede ser una tarea cautivadora, emocionante
pero desafiante. Se necesitan grandes cantidades de energía
para poder seguir todos los movimientos que hacen los

pequeños, para satisfacer su curiosidad. Para estar seguros de que los bebés en movimiento están bien y a salvo, los adultos deben mantenerse atentos y tener conocimiento del desarrollo del niño

Los bebés en movimiento saludables:

+ Son capaces y competentes
+ Son persistentes y sinceros
+ Saben mucho más de lo que su habilidad verbal pudiera indicar
+ Son cariñosos y sociables
+ Necesitan relaciones con los adultos que sean seguras y sanas
+ Necesitan moverse y explorar
+ Tienen mucha curiosidad acerca del mundo que les rodea
+ Son desconfiados con respecto a la separación y hacia las personas extrañas
+ Responden físicamente a las emociones
+ Tienen una energía sin límites
+ Están comenzando a controlar y a desarrollar sus habilidades motrices

Los bebés en movimiento, necesitan lo siguiente por parte de los adultos:

+ La oportunidad de desarrollar su independencia
+ Proveer límites razonables para la seguridad
+ Cercanía física
+ Sentirse queridos de manera incondicional
+ Tener la posibilidad de ir y venir con el adulto
+ Poder ver el ejemplo de lo que es un comportamiento social aceptable
+ Tener el sentido de pertenecer a algo
+ Escuchar el lenguaje hablado

Me Gusta tu Cabello

Exploración y Curiosidad

SITUACIÓN:

Lupe, que tiene 7 meses de edad, está sentada observando a José, que tiene 8 meses de edad y juega con una pelota. Lupe comienza a gatear hasta llegar a donde está José, se le acerca y le toca el cabello. A Lupe se le enreda un poco de cabello en los dedos y lo hala hacia ella. José empieza a llorar.

RESPUESTA COMÚN DEL ADULTO:

"**¡Lupe! ¡No le hales el pelo a José!**" La persona adulta se acerca para quitar la mano de Lupe del pelo de José y se la lleva lejos de él.

RESPUESTA CONSCIENTE DEL ADULTO:

Un lenguaje descriptivo y afectuoso:

La persona adulta se acerca y se coloca al mismo nivel de Lupe y José.

Para Lupe: El adulto le quita suavemente la mano del pelo de José y le dice amablemente: **"Le estabas halando el pelo a José y eso le duele"**.

Para José: El adulto lo mira a los ojos y le dice: **"José, cuando te halan el pelo duele"**. El adulto observa los signos de José. **"¿Quieres que te cargue?"** El adulto le extiende los brazos para que José se sienta libre de escoger y tal vez sea él o Lupe quien se acerque a sus brazos.

Para Lupe: Una vez que José ya esté calmado, el adulto abre la mano de Lupe y le soba la palma de manera circular. Luego, esa persona adulta toma la mano abierta de Lupe y la pasa sobre su cabello diciendo: **"Así es como se siente mi pelo. Vamos a sentir el tuyo"**. Después hace que Lupe se toque su propio cabello. Por último, esa persona adulta observa los signos de José, para determinar

si éste aceptará que Lupe
le toque el pelo con
ayuda del adulto.

¿POR QUÉ HACEMOS ESTO?

✦ El adulto acabó con el halón de pelo y ayudó a Lupe a que
desenredara sus dedos, mientras describía lo que estaban
haciendo y la manera en que afectó a José.

✦ El adulto describió lo que había sucedido y lo que sintieron,
dándole a José la oportunidad de escoger la manera en que
deseaba calmarse.

✦ El adulto ejemplificó y ayudó a Lupe para que sintiera el
cabello con su mano abierta, explicándole verbalmente lo
que debía hacer.

ESTRUCTURA DEL CONCEPTO:
Punto de vista del niño o niña:

"Veo que tu pelo se mueve. Eso me parece muy interesante y
quiero tocarlo".

¿Cuál es la importancia de esto?

Los niños y niñas de esta edad tienen mucha movilidad, y se convierten en exploradores, siguiendo cualquier cosa que les dé curiosidad. La curiosidad y la exploración llevan a establecer lazos sociales con otros niños y niñas. Esto debe ser comprendido y apoyado por los adultos que les rodean. Muchas veces, los adultos interpretan estos intentos iniciales hacia la socialización y a una exploración activa, como comportamientos agresivos.

EL COMPORTAMIENTO EN GENERAL Y EL DESARROLLO NORMAL:

Los bebés en movimiento logran entender su mundo por medio de la exploración y con la ayuda de sus sentidos. Los niños y niñas siempre tienen la necesidad de meterse cosas en la boca para aprender. Necesitan recoger, cargar y dejar caer objetos. El cabello en este caso, pasó a ser el objeto que Lupe quería tomar y cargar y seguramente llevar a su boca. Asimismo, los demás bebés son vistos como objetos en movimiento "muy interesantes", los cuales motivan a la exploración y estimulan la curiosidad. Los bebés de esta edad, se fascinan con el cabello de los demás. El hecho de tocar el cabello con la mano abierta, ejemplificó una manera aceptable de tocar a los demás sin herirlos.

ACTITUDES Y COMPORTAMIENTOS QUE CREAN COMUNIDADES CON SENSIBILIDAD:

✦ Yo te enseñaré a explorar y a interactuar con los demás niños y niñas, sin que los lastimes.

CAPACIDAD DE RESPONDER CONSCIENTEMENTE A DIARIO:

✦ Enseñar a los niños y niñas los diferentes caminos para hacer las cosas, sin lastimar ni herir a los demás

✦ Describir el resultado de las acciones de los niños y niñas

✦ Apoyar la movilización y la exploración por sí mismos(as)

CONSEJOS ADICIONALES:

Alternativas para que el adulto actúe conscientemente, manteniéndose objetivo y racional:

Si José no se calma rápidamente, dele el tiempo que necesite para calmarse.

Si Lupe insiste en halar el pelo de José, llévela hacia otro lado del cuarto.

Lupe puede sentirse atraída hacia la acción/reacción del hecho de halar el pelo. En este caso, la persona adulta puede "seguir" a Lupe para poder intervenir. Si es necesario, puede intervenir ejemplificando la manera de sentir el pelo con la mano abierta.

La Camioneta No Sirve

Desarrollando las Habilidades para Solucionar la Frustración

SITUACIÓN:

Felipe tiene 10 meses de edad y apenas comienza a caminar solo. Está en el patio de juegos. Allí hay una camioneta de bomberos, para que los niños la empujen y jueguen con ella. Felipe gatea hasta donde está la camioneta, se va parando despacito y empieza a empujarla por todo el piso, hasta que choca contra la pared. La camioneta se detiene. Felipe comienza a gritar y a empujar la camioneta hacia adelante y hacia atrás, estrellándola contra la pared.

Respuesta Común del Adulto:

"Felipe ¡No empujes la camioneta contra la pared!". La cuidadora carga a Felipe, se acerca a la camioneta, la voltea y coloca a Felipe nuevamente en el piso detrás de la camioneta para que pueda seguir empujándola.

Respuesta Consciente del Adulto:

Un lenguaje descriptivo y afectuoso:

"Felipe, estás empujando la camioneta, pero ya no puede ir más lejos. Tú estás enojado porque apareció una pared. Lo que podemos hacer es voltear la camioneta, para que la puedas empujar hacia otro lado". Deténgase un momento y observe la manera en que Felipe reacciona acerca de lo que usted dijo. Tal vez intente voltear la camioneta él mismo. Si lo logra, usted puede decirle: "¡Muy bien! Le diste vuelta a la camioneta tú solo". En el caso de que necesite ayuda, verbalmente usted le puede ir indicando el proceso para que le dé vuelta a la camioneta.

Felipe también puede darse la vuelta, mirar a la cuidadora y esperar. Si es así, la cuidadora dice: **"Vamos a voltear la camioneta juntos"**. Recuerde que la persona adulta, deberá de darle varias vueltas a la camioneta para que Felipe aprenda a hacerlo por sí mismo.

¿Por qué Hacemos Esto?

En muchas ocasiones, al describir a los pequeños las acciones y darles tiempo para que reaccionen, le estamos ayudando a romper el ciclo de la frustración. Asimismo, al darle las opciones, la asistencia verbal, el tiempo para practicar y el apoyo, le estamos permitiendo sentirse lo suficientemente capaz para solucionar sus propios problemas.

ESTRUCTURA DEL CONCEPTO:
Punto de vista del niño o niña:

"Me gusta empujar la camioneta, pero la pared se me atravezó".

¿Cuál es la importancia de esto?

Cuando los bebés en movimiento empujan un objeto con ruedas, los niños y niñas continúan desarrollando su sentido de independencia y control sobre su nueva movilidad. Esto les puede llevar a frustrarse, debido a los objetos o cosas que se les pueden cruzar en el camino de su movimiento.

EL COMPORTAMIENTO EN GENERAL Y EL DESARROLLO NORMAL:

Los bebés de esta edad, necesitan moverse y empujar las cosas por todos lados. El hecho de caminar y empujar a la misma vez cualquier objeto, es una nueva habilidad para el pequeño y es normal que se sienta frustrado(a) cuando algo evita que pueda seguir moviéndose. Por ejemplo: Correr contra la pared, que la camioneta se le volteé, que las ruedas se traben con la alfombra, etc. Los pequeños no tienen las palabras para identificar su problema, ni para pedir la ayuda para solucionarlo.

Es muy importante que los adultos apoyen y motiven esta etapa del desarrollo, haciéndolo de la siguiente manera:

✦ Proporcionando el espacio interior y exterior para que practiquen.

✦ Proporcionando el equipo que necesitan los pequeños en movimiento.

✦ Proporcionando el lenguaje descriptivo de la situación y hablando acerca de los sentimientos que causan la frustración.

✦ Ayudando a los pequeños en la solución de su problema.

ACTITUDES Y COMPORTAMIENTOS QUE CREAN COMUNIDADES CON SENSIBILIDAD:

✦ "Yo voy a darte oportunidades que sean seguras, para que puedas practicar tus nuevas habilidades. Cuando te sientas frustrado(a), yo te voy a ayudar para que soluciones el problema que te hizo sentir enojado(a) y molesto(a).

CAPACIDAD DE RESPONDER CONSCIENTEMENTE A DIARIO:

✦ Describir las acciones que crearon el problema.

✦ Reconocer la existencia de las frustraciones y conectarlas con el problema que las causó.

✦ Ejemplificar la manera de solucionar el problema.

CONSEJOS ADICIONALES:

Alternativas para que el adulto actúe conscientemente, manteniéndose objetivo y racional:

Si Felipe continua estrellando la camioneta contra la pared y se va poniendo cada vez más enojado, la cuidadora puede poner una mano sobre la camioneta y pararla, diciendo: **"Tú estás muy enojado con la pared, pero si estrellas la camioneta contra ella, la camioneta se puede romper. Tienes que dejar de hacer eso"**.

Extienda sus brazos de manera amable y diga: **"¿Por qué no vienes a sentarte junto a mí por un rato?"**

Si Felipe no quiere sentarse en las piernas de la persona adulta y continua golpeando y estrellando la camioneta contra la pared, la cuidadora debe de quitarle la camioneta diciendo: **"Me voy a llevar la camioneta"**. Cuando regresa, se sienta junto a Felipe y le ofrece tranquilidad física, así como otras actividades para jugar.

Yo Quiero Eso ¡Ahora Mismo!

Las Reacciones Físicas ante los Golpes y las Mordidas

SITUACIÓN:

Miguel tiene 12 meses de edad y está sentado en el piso jugando con los cubitos de madera. Mónica, que tiene 14 meses de edad, llega y se los quita. Miguel grita, llora y le pega. Mónica empieza a llorar también.

RESPUESTA COMÚN DEL ADULTO:

"Miguel, nosotros no debemos de golpear a nadie. Mónica, regrésale los cubos".

RESPUESTA CONSCIENTE DEL ADULTO:

Un lenguaje descriptivo y afectuoso:

El adulto se sienta entre los dos niños y los calma físicamente. Cuando terminan de llorar, le puede decir a Miguel: "**Mónica quería uno de los cubos. Ella lo cogió y tú le pegaste. Ahora está llorando porque los golpes duelen**". Ahora voltea y le dice a Mónica: "**Mónica, tú querías uno de los cubos. Cuando lo cogiste, Miguel te pegó. Si tú quieres los cubos, debes de pedírselos diciendo: ¿puedo coger uno por favor? Ahora, vamos a regresárselo y le vamos a tratar de preguntar**".
Ayúdele a Mónica a que regrese el cubo y luego se lo pida por favor. Ella puede decir solamente ¿por favor? y eso será suficiente.

¿POR QUÉ HACEMOS ESTO?

✦ El adulto ha brindado su apoyo a los dos pequeños, proporcionándoles el lenguaje para expresar sus acciones y sus sentimientos.

✦ Puede ser que Miguel no entienda completamente lo que le está diciendo, pero el adulto, al describir el comportamiento y los sentimientos de Miguel, está comenzando a construir las bases del lenguaje. Los adultos deben de poner mucha atención a este tipo de situaciones, para poder prevenir los golpes y expresar el lenguaje correcto. (Al señalarle a Miguel las lágrimas de Mónica, el adulto está describiendo una de las maneras en que el dolor se manifiesta cuando se golpea a alguien).

✦ El enfoque de esta situación no es compartir, sino el uso del lenguaje para describir las acciónes y reconocer los sentimientos.

ESTRUCTURA DEL CONCEPTO:

Punto de vista del niño o niña:

Para Mónica: "Yo veo que estás jugando con esos cubos y yo los quiero".

Para Miguel: "Tú no me vas a quitar mis cubos".

¿Cuál es la importancia de esto?

Si los niños y niñas desean conseguir lo que quieren, en lugar de lastimar, necesitan aprender otras alternativas. Al ejemplificar una opción compasiva y sensible para solucionar un conflicto, estamos exponiendo las bases para que los niños y niñas, experimenten y sepan la manera en que el lenguaje es escencial para solucionar los problemas. Por ejemplo: Cuando le quitaron sus cubos a Miguel, éste no tenía el lenguaje para expresar sus sentimientos ni sus necesidades. Por ejemplo: "Yo estoy jugando con esto ahora". Al momento de golpear, él está diciendo lo mismo, pero de manera no verbal. El no golpeó a Mónica para herirla, sino para expresar un sentimiento para el cual, no tenía el lenguaje apropiado.

Los niños y niñas de esta edad, no cuentan con el menor conocimiento acerca del impacto que tienen sus acciones hacia los demás. Por ejemplo: Mónica observa la manera en que los cubos "recobran vida" en las manos de Miguel que juega con ellos, así que ella también quiere jugar con eso. A Mónica también le hace falta el lenguaje correcto para pedirlos, así que decide quitárselos.

Cuando Miguel le pegó, ella pudo haberle pegado también, pero en lugar de hacerlo, ella absorbió su dolor y la impresión que eso le causó, por lo cual empezó a llorar. Ella no tenía las palabras para decirle "Me lastimaste".

EL COMPORTAMIENTO EN GENERAL Y EL DESARROLLO NORMAL:

Cuando los pequeños no tienen el lenguaje para expresar sus necesidades o sentimientos, las reacciones físicas son comportamientos comunes. La mayoría de las veces, los bebés en movimiento, a pesar de saber que hay más de los mismos juguetes en el salón, están más interesados(as) en el juguete con el que alguien está jugando, pues ese juguete, tiene movimiento y es más divertido.

ACTITUDES Y COMPORTAMIENTOS QUE CREAN COMUNIDADES CON SENSIBILIDAD:

✦ "No está bien lastimar a alguien y nosotros vamos a tranquilizar y a atender a cualquiera que esté lastimado".

CAPACIDAD DE RESPONDER CONSCIENTEMENTE A DIARIO:

✦ Describir lo que hacen los niños y niñas

✦ Reconocer sus sentimientos

✦ Tranquilizarles

✦ Enseñarle las otras alternativas para cumplir con sus necesidades

CONSEJOS ADICIONALES:

Alternativas para que el adulto actúe conscientemente, manteniéndose objetivo y racional:

Si Miguel no quiere prestarle el cubo, entonces dígale a Mónica: "Miguel todavía quiere seguir jugando con él. Vamos a buscar otra cosa para que puedas jugar". Tómela de la mano suavemente y caminen hacia el lugar en donde hay más juguetes. Quédese con Mónica hasta que se envuelva activamente con otros juguetes. Al haberle tomado la mano, usted la está apoyando para que busque y encuentre alguna otra cosa que le pueda interesar.

Las Mordidas Duelen y Hieren

Intervención y Prevención por Parte de los Adultos

SITUACIÓN:

Lola tiene 18 meses de edad y Germán tiene 16 meses, los dos están jugando. Lola deja caer el juguete con el que está jugando y se aleja. Germán lo recoge y empieza a jugar con él. Lola regresa y encuentra a Germán jugando con el muñeco de peluche. Lola intenta arrebatarle el juguete y al ver que no puede, se agacha y le muerde la mano a Germán. Germán grita pero no suelta el juguete.

Respuesta Común del Adulto:

"Lola, nosotros mordemos la comida, pero ¡no mordemos a nuestros amigos! Dale el juguete a Germán".

Respuesta Consciente del Adulto:

Un lenguaje descriptivo y afectuoso:

El adulto se mueve rápidamente para acercarse físicamente a los dos pequeños y enfocándose en Germán, el adulto dice: **"Germán, estás llorando. Te mordieron y eso duele** (pausa). Lola, **míralo, está llorando. Cuando lo muerdes, le duele mucho. ¿Ya viste como tiene su mano? Tus dientes le dejaron esas marcas"**. El adulto soba suavemente la mano de Germán.

"Mira Lola, Germán está llorando. Cuando lo mordiste, lo lastimaste. Mira la mano de Germán. Tus dientes hicieron esas marcas en su mano". La cuidadora soba suavemente la mano de Germán.

Una vez que Germán ya ha sido consolado, el adulto se dirige a Lola y le dice: "Lola **tu querías que te dieran el juguete, pero no debes morder. Morder no es bueno. Cuando quieras un juguete, estira tus brazos y di: "¿Me puedes dar el juguete por favor?" Trata de hacerlo conmigo"**. (Lola responderá con el lenguaje que pueda expresarse mejor. En este caso, es posible que responda estirando sus brazos y diciendo: **"¿Por favor?"**

Si Germán le dá el juguete, describa lo que sucedió: "**Tú le pediste el juguete y él te lo dió**".

Si Germán se niega a darle el juguete, describa lo que sucedió: **"Germán no te quiere dar el juguete ahora. Vamos a buscar otro juguete con el que puedas jugar"**. La persona adulta se queda con Lola hasta que se entretenga con otro juguete.

¿POR QUÉ HACEMOS ESTO?

✦ Es importante proporcionar descripciones específicas de lo que hacen los niños y niñas, pues le otorga el lenguaje y el significado a sus acciones. Al enfocarse en la mordida y en la marca que Lola le dejó, ayuda a que ella se dé cuenta de su comportamiento y de sus consecuencias. El hecho de hacer una pausa después de una pregunta o una afirmación, le dá la oportunidad al niño o niña de enfocarse en lo que se dijo y de poder responder. También puede servir como una pausa en las reacciones emocionales que están sucediendo. El hecho de sobar suavemente la herida ejemplifica una respuesta de empatía.

✦ El adulto dejó claramente establecido que Lola no debe morder porque eso duele. Después le ofreció una alternativa específica para conseguir el juguete. Así es como se le ha dado a Lola el lenguaje que puede usar. A Germán se le dió la opción de entregar o no el muñeco de peluche. El adulto apoyó a Lola y la acompañó a otro lugar hasta asegurarse de que estaba entretenida y el conflicto no volvería a ocurrir.

✦ Para prevenir que el incidente vuelva a suceder, el adulto debe estar atento y observando a Lola. Si el adulto se dá cuenta de que Lola quiere volver a morder, debe impedir inmediatamente la mordida. Por ejemplo: Tomándola de la mano, cargándola, volteándola hacia otro lado, colocando la mano entre ella y el otro niño o colocando todo su cuerpo entre los dos.

Estas estrategias son respuestas adultas no verbales, que previenen el peligro de morder. Estas estrategias se enfocan de manera no verbal hacia la mordida, ya que el hecho aún no ha sucedido y Lola no debe recibir ninguna atención por el hecho de morder.

ESTRUCTURA DEL CONCEPTO:

Punto de vista del niño o niña:

"Yo estaba jugando con ese juguete, así que es mío, aunque yo lo haya dejado allí. Cuando no me lo querías regresar, te tuve que morder para que me lo dieras".

¿Cuál es la importancia de esto?

Los bebés en movimiento crean sus propias estrategias para lograr cumplir con sus necesidades. En este caso, fué la mordida, que es dolorosa y peligrosa.

EL COMPORTAMIENTO EN GENERAL Y EL DESARROLLO NORMAL:

En esta edad, los niños y niñas son muy posesivos con sus cosas. Ellos creen que lo que ven y tocan les pertenece. Esto generalmente termina en un conflicto. El hecho de morder es una respuesta típica que generalmente se inicia cuando los pequeños tienen entre un año y un año y medio.

Los adultos deben estar atentos y listos para intervenir e impedir la mordida, haciéndolo de un manera firme y sensible. En algunos casos, se puede tener algo para que el niño o niña pueda morder. Por ejemplo: un aro colgado en la ropa para ayudar con la dentición, satisface la necesidad de morder. Una vez que el niño o niña ha mordido, el adulto debe mantenerse cerca y seguir atentamente las acciones de la criatura para que la mordida, que sucede muy rápido, no ocurra. Por medio de respuestas conscientes del adulto, las mordidas irán disminuyendo y tal vez solamente ocurran de vez en cuando, aún a pesar de todos los esfuerzos. Esta es una etapa muy difícil del desarrollo, la cual exige una atención constante por parte del adulto.

ACTITUDES Y COMPORTAMIENTOS QUE CREAN COMUNIDADES CON SENSIBILIDAD:

✦ "Aquí, todos deben sentirse seguros. Yo les voy a enseñar la manera para pedir lo que quieran, sin tener que herir a nadie".

CAPACIDAD DE RESPONDER CONSCIENTEMENTE A DIARIO:

✦ Enseñar a los niños y niñas lo que deben de hacer.

✦ Esté atento(a) hacia aquellas situaciones que involucran problemas de propiedad y posesión.

✦ Prevenga el peligro por medio de intervenciones no verbales y cambiando la dirección.

✦ Proporcione el lenguaje y ejemplifique la empatía cuando alguien esté herido o lastimado.

✦ Otorgue el tiempo, el compromiso y la sensibilidad que se necesiten, para llevar a cabo el proceso de solución del problema.

CONSEJOS ADICIONALES:

Alternativas para que el adulto actúe conscientemente, manteniéndose objetivo y racional:

Si Lola no quiere aceptar el "no" de Germán, reconozca sus sentimientos. "**Lola, yo sé que no estás contenta porque Germán quiere quedarse con el juguete. Yo te voy a ayudar a que encuentres otro juguete para que puedas volver a jugar**".

El Cuidado Contínuo

Transiciones Emocionales y Físicas

SITUACIÓN:

Lorena tiene 15 meses de edad y empezó a caminar desde hace tres meses. Las cuidadoras han notado que su nivel de actividad ha aumentado y que ahora solamente toma una siesta al día. Su familia y sus maestras han decidido que ya es tiempo para comenzar la transición hacia el salón de los niños que ya caminan. La política de la guardería es que el niño o niña visite el salón de los niños que ya caminan, junto con una cuidadora que le sea familiar, una vez al día y aumentando las horas de visita poco a poco. Durante esta semana, Lorena no ha dejado de llorar.

Respuesta Común del Adulto:

"Lorena, yo no me puedo quedar aquí contigo. Así que vas a tener que acostumbrarte a este salón".

Respuesta Consciente del Adulto:

Un lenguaje descriptivo y afectuoso:

La cuidadora se ha dado cuenta de que Lorena no se está adaptando a su nuevo ambiente y sabe que lo mejor para ella, es el ambiente y los adultos con los cuales está familiarizada. Primero decide hablar con sus colegas de trabajo del salón de los pequeños que empiezan a caminar. Una vez que obtiene su apoyo, decide hablar con la directora de la guardería para pedirle que mantengan a Lorena en su salón y le permitan modificar el ambiente para darle a la pequeña lo que necesita tomando en cuenta que es una niña que ya sabe caminar.

"Me he enterado de que existe el cuidado contínuo. Con esta alternativa, las cuidadoras pueden quedarse con los mismos niños y niñas durante tres años. Yo nunca había pensado acerca de nuestra política de transición, pero ahora que veo a Lorena pasando por esa angustia emocional, yo quisiera probarlo con ella. Mis colegas están de acuerdo en que eso sería una buena idea". La cuidadora y la directora comentan de la logística para un enfoque a largo plazo, del plan de cuidado contínuo. Después, invitan a los padres de Lorena para que vengan a hablar acerca del plan.

¿POR QUÉ HACEMOS ESTO?

La cuidadora ha reconocido la angustia que siente Lorena cuando sale de su ambiente familiar y se dá cuenta de que ella no quiere dejarla tampoco. Los adultos y los niños y niñas, crean lazos muy fuertes. El hecho de romper estos lazos durante los primeros años de vida, no es sano, ni para el adulto ni para la criatura. Esta cuidadora ha encontrado una mejor manera para apoyar el desarrollo de la confianza, la seguridad y la cercanía, por medio del cuidado contínuo. Para poder explorar y desarrollar esta nueva costumbre, ella cuenta con el apoyo de sus colegas y de la directora. El hecho de que ella pueda mantener a Lorena en el mismo ambiente, le ayudará a apoyarla en su desarrollo físico e intelectual, a la vez que va adaptando el ambiente para que cumpla con las necesidades del crecimiento.

ESTRUCTURA DEL CONCEPTO:
Punto de vista del niño o niña:

"No quiero que me dejes".

"Tengo miedo de estar en este lugar que no conozco".

¿Cuál es la importancia de esto?

Cuando los niños y niñas muestran comportamientos de
tensión tales como llorar y aferrarse a alguien, se les debe
tomar en serio. Los miedos de los niños y niñas pueden parecer
sin fundamento, ya que los adultos saben que todos los salones
de la guardería están en un ambiente seguro. De cualquier
manera, el niño o niña está experimentando un miedo real.
Sus sentimientos no deben ser despreciados, por el contrario,
estos sentimientos deben ser reconocidos y apoyados, a la
vez que ayudamos a la criatura para que pueda manejarlos
y se sobreponga.

El cuidado contínuo, alivia la tensión ocasionada al romper
los lazos con las cuidadoras que ya le son conocidas y la
incertidumbre de entrar a un ambiente desconocido, a una
edad muy temprana. No es aconsejable mudar a los bebés en
movimiento a nuevos salones y después volverlos a mudar
cuando ya saben caminar. Entre menos cambios, mejor. El
cuidado contínuo elimina las múltiples
transiciones en la temprana edad.

El Comportamiento en General y el Desarrollo Normal:

Las respuestas físicas son comportamientos comunes de los
bebés en movimiento, ya que no tienen el lenguaje para

expresar sus sentimientos y sus necesidades. La ansiedad es una respuesta normal para muchos de los pequeños a quienes se les separa de las personas y ambientes conocidos. Es por eso que lloran y se aferran, para expresar sus sentimientos. Durante los primeros años, el cuidado contínuo logra cumplir con las necesidades de los niños y niñas para que lleguen a tener calma y puedan disminuir la angustia emocional que produce el cambio.

El hecho de quedarse durante tres años con la persona que le cuida, le permite al pequeño desarrollar la confianza hacia los adultos conocidos y hacia el ambiente que le rodea. Cuando el medio ambiente se adapta a las necesidades de los niños y niñas que comienzan a caminar, se está brindando apoyo al lenguaje y al desarrollo social e intelectual.

ACTITUDES Y COMPORTAMIENTOS QUE CREAN COMUNIDADES CON SENSIBILIDAD:

✦ "Yo voy a proteger y a nutrir la cercanía que hemos creado".

CAPACIDAD DE RESPONDER CONSCIENTEMENTE A DIARIO:

✦ Cada vez que los niños y niñas necesiten tranquilidad, debe calmarlos física y verbalmente

✦ Cambie el medio ambiente para cumplir con las necesidades del desarrollo de la niñez

CONSEJOS ADICIONALES:

Alternativas para que el adulto actúe conscientemente, manteniéndose objetivo y racional:

Si sus sugerencias para crear la continuidad de cuidado no son aceptadas, puede buscar el apoyo de los administradores, directores, colegas, maestros y maestras de infantes, así como de los artículos escritos por profesionales.

¡Te Caíste Encima de Mí

Control Físico y Destrezas Motrices

SITUACIÓN:

Ming y Ramón, tienen 16 meses de edad y están en el patio de juegos. Ramón le dá una patada a la pelota grande y verde y en ese momento Ming y él comienzan a perseguirla. La pelota choca contra la pared y se detiene. Ming y Ramón chocan contra la pelota y caen uno encima del otro. Ambos niños empiezan a llorar.

RESPUESTA COMÚN DEL ADULTO:

"Tengan cuidado. No se vayan a lastimar uno al otro".

RESPUESTA CONSCIENTE DEL ADULTO:

Un lenguaje descriptivo y afectuoso:

"Los dos estaban corriendo trás la pelota y no pudieron parar. Cayeron uno sobre el otro y les dolió". El adulto se sienta en el pasto, junto con ambos niños y les dice: **"Los dos están llorando. Cuando uno llora, quiere decir que está lastimado. Ramón, enséñame en dónde te golpeaste. Ming ¿en qué parte te duele?"** Reafirme lo que los niños dicen o hacen.

Cuando los niños ya se hayan calmado, diga: **"Cuando estamos corriendo, es difícil detenernos. Si algo aparece enfrente de nosotros, tenemos que parar, porque si no lo hacemos, podemos chocar contra eso y nos podemos lastimar – justamente eso es lo que sucedió con la pelota grande y verde. ¿Quieren seguir jugando a alcanzar la pelota o prefieren lanzarla entre ustedes dos?"**

¿POR QUÉ HACEMOS ESTO?

El hecho de describir las acciones y las consecuencias de lo que hacen los niños, les ayuda a tomar consciencia acerca de lo que están haciendo. Asimismo, les ayuda a entender lo que están sintiendo. Al preguntarles en dónde les duele, el maestro o maestra les está invitando a llegar a crear su propia tranquilidad.

El adulto ha descrito una acción que el niño todavía no tiene refinada, que es la de parar inmediatamente. También la reconoció junto con sus consecuencias. Varias opciones se ofrecieron de manera que los niños puedan volver a reintegrarse en dicha actividad.

ESTRUCTURA DEL CONCEPTO:

Punto de vista del niño o niña:

"Yo quiero correr trás la pelota".

¿Cuál es la importancia de esto?

Los bebés en movimiento, necesitan moverse. Los niños y niñas tienen que tener la posibilidad de moverse, ya que de esa manera van aprendiendo a controlar sus movimientos.

Los niños y niñas están desarrollando su sentido de autonomía, a la vez que comienzan a separarse del adulto física y emocionalmente.

EL COMPORTAMIENTO EN GENERAL Y EL DESARROLLO NORMAL:

Correr es una habilidad que se va desarrollando. Una vez que los niños y niñas pueden caminar y correr, es muy común que choquen contra las cosas o contra los demás pequeños.

Los niños y niñas están comenzando a crear situaciones para jugar, las cuales son independientes de los adultos.

ACTITUDES Y COMPORTAMIENTOS QUE CREAN COMUNIDADES CON SENSIBILIDAD:

✦ "Yo voy a apoyarte en tu necesidad de moverte y en tu búsqueda de independencia, pero sin que pongas en riesgo tu seguridad".

CAPACIDAD DE RESPONDER CONSCIENTEMENTE A DIARIO:

✦ Aprenda cuales son las etapas del desarrollo groso-motor

✦ Esté consciente de los problemas de seguridad

✦ Proporcione oportunidades para que los pequeños se muevan y jueguen de forma independiente

CONSEJOS ADICIONALES:

Alternativas para que el adulto actúe conscientemente, manteniéndose objetivo y racional:

Si el adulto solamente puede calmar a uno de los niños, debe llamar a otro adulto para que le ayude con el otro niño.

Si uno de los niños se enoja con el otro e intenta pegarle o morderlo, el adulto debe de intervenir y detenerlo, diciendo: **"Ming, cuando ustedes dos se cayeron, los dos se lastimaron. Ramón nunca tuvo la intención de lastimarte. Míralo, él también está llorando"**.

Si los niños continúan persiguiendo la pelota y se vuelven a caer y se lastiman, el adulto deberá intervenir directamente, asegurándose de que jueguen sin lastimarse.

Capítulo Tres **3**

Pequeños que Empiezan a Caminar

Los pequeños que empiezan a caminar, están desarrollando su identidad y empiezan a involucrarse más activamente en sus rutinas diarias. Su independencia va en aumento y su insistencia en querer hacer todo por ellos mismos, hace que la vida con ellos y la capacidad de cuidarlos, sea algo impredecible, desafiante y emocionante. Los adultos necesitan pulir sus habilidades en la lectura de los signos y señales para poder determinar el momento de ponerse firmes y el momento para ofrecer posibilidades y ser flexibles. Los adultos deben intentar poner de su parte para mantener el sentido del humor y disfrutar la maravillas de las habilidades que se están desarrollando en sus pequeños que comienzan a caminar.

Los pequeños que empiezan a caminar que están saludables son los que:

✦ Tienen un sentido de posesión y de territorio muy fuertes
✦ Tienen una necesidad muy poderosa por establecer la conexión física con los adultos que les son familiares, pero al mismo tiempo, tienen la necesidad muy fuerte de ser físicamente independientes de esos adultos
✦ Desarman y/o vacian las cosas, pasando constantemente de una actividad a otra, con el fin de aprender acerca de su medio ambiente y acerca de su relación con ellos mismos
✦ Tienen un sentido de curiosidad creciente que está relacionado con las personas y las situaciones de su medio ambiente
✦ En situaciones de juego comienzan a formar amistades y relaciones de compañerismo
✦ Expresan físicamente sus emociones
✦ Con su sentido de ser independientes, generalmente se comportan negativamente, por ejemplo, diciendo: "¡No!
✦ Disfrutan de la música y del movimiento

Lo que necesitan los pequeños que empiezan a caminar, por parte de los adultos:

✦ El sentido de aventura, humor y amor incondicional
✦ Fronteras que les permitan tomar decisiones significativas con respecto a su seguridad
✦ Espectativas realistas basadas en el conocimiento y la comprensión de sus necesidades de desarrollo y comportamiento
✦ Paciencia y la capacidad para observar antes de reaccionar
✦ Tiempo y espacio para crear sus propios juegos y para interactuar con los objetos y las personas
✦ Explicaciones y descripciones de lo que está sucediendo
✦ La oportunidad de aprender y utilizar el lenguaje por medio de la conversación, los cuentos, las canciones y el juego
✦ Un compañero o compañera con quien jugar y saber cuáles son las rutinas de sus vidas cotidianas

Aprendiendo a Ir al Baño

Saber Cuando es el Momento Correcto

SITUACIÓN:

Bárbara llega a la casa de su mamá Carolina, porque va a recoger a David, su hijo, que tiene 30 meses de edad y ayer se quedó a dormir allí. Carolina le dice a su hija: "Bárbara, yo creo que ya es hora de entrenar a David para que aprenda a ir al baño. Yo te enseñé a ir al baño antes de que cumplieras los dos años".

Bárbara responde: "Mamá, yo entiendo lo que sientes. Es más, cuando estaba buscando guarderías, en muchas de ellas, después de entrevistarme, no quisieron tomar a David, porque todavía no sabía ir al baño. De todas formas, la razón por la cual decidí inscribirlo en la guardería en la que está ahora, es porque ellos si esperan hasta que David esté listo. Y lo siento mamá, pero yo creo que todavía no está listo".

RESPUESTA COMÚN DEL ADULTO:

"¡Ah! Esas son tonterías. En mis tiempos, nosotros decidíamos el momento en que el niño estaba listo y siempre nos funcionó muy bien" – responde Carolina. "Pero dime ¿cuando vas a saber el momento en que David ya está listo?"

Bárbara responde enojada: "Mamá, eso fué hace 25 años. Muchas cosas han cambiado desde entonces. Deja que yo me preocupe por eso ¿está bien?"

RESPUESTA CONSCIENTE DEL ADULTO:

Un lenguaje descriptivo y afectuoso:

En lugar de que este tema sea motivo de una discusión acalorada y exaltada, debido a la diferencia en los valores y en las experiencias vividas, Bárbara le explica a su mamá su filosofía acerca de como aprender a ir al baño.

"Mira mamá, yo sé que tenemos diferentes puntos de vista acerca de la manera en que los niños aprenden a ir al baño por sí solos. Yo he leído mucho acerca de esto y he hablado con las cuidadoras de David. Lo que aprendí es que, cuando ya están listos, los niños y niñas te avisan para que los enseñes a ir al baño. Algunas de las señales son que empiezan a mantenerse secos durante más tiempo y comienzan a demostrar interés en el inodoro y en la

manera en que las demás personas lo usan.

Generalmente, los niños y niñas tienen una mirada diferente cuando están listos para orinar o tener una evacuación intestinal, o tal vez te digan que quieren usar el inodoro. Las maestras de David y yo estamos esperando ver las señales, antes de comenzar el proceso. Una vez que las señales aparezcan, vamos a entrenar a David y le vamos a colocar pañales deshechables con sujetador. Eso es lo que yo pienso. Ahora dime ¿por qué piensas que yo debería estar entrenándolo desde ahora?"

Carolina responde: "**Bueno, porque nosotras no teníamos pañales deshechables. Usábamos pañales de tela. Cuando el pañal estaba mojado, yo tenía que cambiártelo inmediatamente para que no te rozara la piel. Tú te quejabas cuando tus pañales estaban mojados y eso era lo que me motivaba a cambiártelos. Lo que sí he notado, es que a David no le molesta usar un pañal deshechable, aunque esté mojado. Me imagino que no se siente mojado, ni le roza la piel. A tí te gustaba usar calzones para aprender. Tal vez a David también le guste usarlos, aunque todavía no esté listo".**

Bárbara dice: "**¿Me pregunto si a David le gustaría usar calzoncillos deshechables?**"

Carolina responde: "**Probablemente sí. Pero cuando ya esté listo, yo creo que debe de usar calzones para aprender, en lugar de los otros, ya que de esa manera puede sentir cuando esté mojado**".

¿Por qué Hacemos Esto?

El usar el inodoro por uno mismo, es un proceso de *aprendizaje*, no de *entrenamiento*.

El aprendizaje para ir al baño por uno mismo, puede llegar a ser un problema muy emotivo. Por medio de una charla calmada y tratando de entender el punto de vista de la otra persona, los adultos pueden llegar a un acuerdo acerca de la estrategia que van a seguir con el pequeño, durante su proceso de aprendizaje para ir al baño.

Los adultos que están envueltos en la vida diaria del niño o niña, necesitan comprender claramente y seguir al pié de la letra, la estrategia que han decidido seguir.

ESTRUCTURA DEL CONCEPTO:

Punto de vista del niño o niña:

"Necesito que ustedes se pongan de acuerdo sobre cuándo y cómo debo de aprender a ir al baño por mí mismos".

¿Cuál es la importancia de esto?

Para poder aprender el proceso de ir al baño por sí mismos, los niños y niñas necesitan que adultos que están en sus vidas les den el tiempo, la atención y la cooperación necesarias. Este proceso varía de acuerdo al temperamento del pequeño, a sus conocimientos físicos y a su relación con el adulto.

EL COMPORTAMIENTO EN GENERAL Y EL DESARROLLO NORMAL:

Los adultos deben recordar que no todos los niños y niñas están listos para algunas cosas, ni tampoco están listos para hacerlas al mismo tiempo. El aprendizaje para ir al baño, está influenciado por la cultura, la situación económica, la diferencia de edades entre los adultos, la imagen que el adulto tiene de sí mismo y los puntos de vista con respecto a la independencia y a la dependencia. Como resultado de estas influencias, el tema puede llegar a ser profundamente emotivo y tiene que ver más con los problemas de los adultos, que con los de los niños. (Por ejemplo: El costo de los pañales, el miedo a equivocarse, etc).

Los "accidentes" son algo muy común, ocurren durante el proceso de aprendizaje y no deben tomarse como una señal de reto, sino como el resultado de un momento en la falta de concentración del pequeño o por haber estado durmiendo profundamente, etc. Si el proceso de aprender a ir al baño, se convierte en motivo de pelea y discusiones, quiere decir que no está funcionando. El adulto debe evaluar si los niños y niñas ya tienen  la habilidad para aprender o todavía no, sin imponer sus expectativas como adulto. El adulto que pone mucho énfasis y le dá mucha importancia al proceso de aprender a ir al baño, al momento en que sucede un "accidente" tiene la tendencia a responder ázperamente e incluso de manera abusiva.

Para que los niños y niñas aprendan a ir al baño por sí mismos, y aprendan a conocer la sensación de eliminar y puedan desarrollar el control sobre la misma, deben saber como empezarla y lo que deben hacer cuando esta ocurra. Asimismo, deben tener la disposición de hacerlo. El aprendizaje para ir al baño se va a poder llevar a cabo, cuando el adulto, con mucha paciencia, apoye al pequeño durante todo el tiempo que le llevará dominar esta habilidad.

La incomodidad física de los calzoncillos sucios o mojados, ayuda en parte a la motivación para que los niños y niñas aprendan a ir al baño. Los pañales con sujetador, absorbentes y deshechables, mantienen la humedad lejos de la piel de los pequeños, hasta que llega el momento en que el pañal está completamente saturado. Como resultado, el(la) pequeño(a) muy rara vez se sentirá mojado(a), lo cual hará que se desanime para comenzar su aprendizaje de ir al baño de manera independiente.

Dialogar acerca de las creencias y costumbres referentes al aprendizaje del pequeño para ir al baño, crea la consciencia y sirve como guía en las decisiones y compromisos establecidos, con respecto a dicho aprendizaje.

ACTITUDES Y COMPORTAMIENTOS QUE CREAN COMUNIDADES CON SENSIBILIDAD:

✦ **"Para que puedas ir al baño, yo voy a cooperar con los demás adultos que están envueltos en tu aprendizaje".**

CAPACIDAD DE RESPONDER CONSCIENTEMENTE A DIARIO:

✦ Conozca las señales que demuestran cuando se está listo para ir al baño de manera independiente

✦ Planee una estrategia, junto con los demás adultos importantes en la vida del pequeño, para que éste aprenda a ir al baño y se pueda asegurar la consistencia, la paciencia y se le pueda brindar todo el apoyo necesario para su aprendizaje

CONSEJOS ADICIONALES:

Alternativas para que el adulto actúe conscientemente, manteniéndose objetivo y racional:

Busque la información, las guías y el apoyo por parte de los doctores, familiares y amigos del pequeño. También lea revistas, libros y consulte las páginas de la red electrónica.

Es el Momento de la Rueda

Expectativas Realistas

SITUACIÓN:

Kelly y Lori, tienen 18 meses de edad, Carlos tiene 16 meses y Pepe tiene 20. Los cuatro están en el salón de clases de los pequeños que ya empiezan a caminar. El salón tiene 12 niños y niñas en total. De acuerdo al programa del día, éste es el "tiempo de la rueda" y todos los niños están sentados en el piso, formando un círculo. Un adulto empieza a tocar la guitarra y a cantar una canción. Los niños están muy atentos y participan, ya sea cantándo, aplaudiendo o mirando a los adultos. Durante la segunda canción, Lori se para y empieza a bailar. El otro adulto dice: "Lori, tenemos que estar sentados en el tiempo de la rueda" y suavemente la sienta otra vez. Carlos se para y camina hacia donde están los cubos. El adulto rápidamente se para y carga a Carlos, llevandolo de vuelta a la rueda y diciendo: "Carlos, el tiempo de la rueda no se ha terminado, te tienes que sentar con nosotros". Pepe se sube en las rodillas del maestro que está cantando. El maestro deja de cantar y dice: "Pepe, es el tiempo de la rueda, no es el tiempo de abrazarse". Al momento de la última canción, los niños y niñas ya han estado sentados en rueda durante 20 minutos y la mitad de ellos, están distraídos y caminan por todos lados. El otro adulto los agrupa y los trae de vuelta a la rueda.

RESPUESTA COMÚN DEL ADULTO:

"El tiempo de la rueda no se ha terminado. Tienen que regresar. Cuando terminemos, podrán jugar".

RESPUESTA CONSCIENTE DEL ADULTO:

Un lenguaje descriptivo y afectuoso:

El tiempo de la rueda para los pequeños que empiezan a caminar, debe de ser flexible. El adulto que está cantándo le dice al otro adulto: **"Voy a cantar la canción de "La Amistad". Vamos a ver si los niños se interesan. Yo me voy a quedar con aquellos que quieran cantar y bailar. Tú puedes cuidar a los demás"**. El adulto saca su guitarra, se sienta en el piso y empieza a cantar. Cuatro o cinco niños se acercan al piso y se sientan con él.

Para Lori: **"Lori quiere bailar al oir la canción, por eso se paró y se está moviendo. ¿Alguien más quiere pararse y bailar?"**

Para Carlos: El adulto que no está cantando observa a Carlos y dice: **"Carlos, veo que ya terminaste de cantar y ahora quieres jugar con los cubos"**.

Para Pepe: El maestro que está cantando, sigue cantando, aún cuando Pepe se ha sentado en sus rodillas. Cuando termina de cantar, el maestro dice: **"Pepe, te subiste** en mis rodillas sin hacer ruido, para que pudiéramos seguir cantando".

¿POR QUÉ HACEMOS ESTO?

✦ Al explicar al otro adulto lo que van a hacer, ayuda a que se cumpla con las necesidades de los niños y a brindarles opciones.

✦ Al describir y aceptar lo que Lori está haciendo y al invitar a los otros niños a que la sigan, el adulto está dando validez a su idea.

✦ Al respetar la decisión de Carlos de salirse de la rueda y al describir su decisión de jugar con los cubos, el adulto está respetando su interés por otra cosa.

✦ Al abrazar a Pepe y describir sus acciones, el adulto está  reconociendo que no interrumpió la actividad del canto y que está cumpliendo con la necesidad de Pepe de estar cerca de él, sin interrumpir la actividad de grupo.

ESTRUCTURA DEL CONCEPTO:

Punto de vista del niño o niña:

Para Lori: "Yo necesito moverme con la música"

Para Carlos: "Yo quiero jugar con los cubos y no quiero estar sentado, ni cantar".

Para Pepe: "Yo me quiero sentar en tus piernas"

¿Cuál es la importancia de esto?

El hecho de que los adultos decidan estructurar la actividad de la rueda por un largo período de tiempo, no es una expectativa realista, ya que no apoya las necesidades de desarrollo de los pequeños que empiezan a caminar.

EL COMPORTAMIENTO EN GENERAL Y EL DESARROLLO NORMAL:

Los pequeños que empiezan a caminar, son capaces de reunirse en grupo, pero después se salen de éste y empiezan a hacer otra cosa y después otra. Esta es la manera normal en que los pequeños exploran y le dan sentido a su mundo. Entre más se mueven, más aprenden. Un programa que les permita moverse de una actividad a otra, sí es un programa que apoya el proceso de aprendizaje. Los pequeños también aprenden cuando son "espectadores". Por ejemplo: No están directamente envueltos en una sola actividad, pero si están conscientes de ella y la observan desde lejos.

Los pequeños responden de manera natural y física hacia la música. Están comenzando a desarrollar el sentido del ritmo, del compás y de la melodía, así que necesitan escuchar una gran variedad de música y tener muchas oportunidades de movimiento, con el fin de apoyar su desarrollo.

El hecho de querer una conexión física con los adultos, es una necesidad para todos los pequeños que empiezan a caminar. Ellos(as) expresan claramente la necesidad de conectarse o no. El papel de los adultos, es el de responder a las señales de los pequeños para mantener su relación.

Cuidar a un grupo de pequeños que empiezan a caminar, lleva un planteamiento y consideración especiales. El hecho de estar dentro de un "grupo" durante cierto tiempo, puede ser algo muy difícil para los pequeños. Para lograr un cuidado apropiado, es muy importante proporcionar oportunidades para que los pequeños se sientan cómodos(as) con las actividades de grupo, en donde puedan funcionar a su propio ritmo y en su propio tiempo. De cualquier manera, muchas de las actividades tales como cantar, bailar y leer, son actividades espontáneas que surgen durante el día. Cuando observe actividades espontáneas, tales como cantar y bailar, facilite las bases para iniciar actividades de grupo que tengan un mayor significado y que aumenten la participación y el interés de los pequeños.

ACTITUDES Y COMPORTAMIENTOS QUE CREAN COMUNIDADES CON SENSIBILIDAD:

✦ "Yo no te voy a pedir que hagas cosas que no son apropiadas para tu edad y para tu etapa de desarrollo".

CAPACIDAD DE RESPONDER CONSCIENTEMENTE A DIARIO:

✦ Planee actividades de grupo que sean flexibles para los pequeños

✦ A lo largo del día, haga uso de la música, el movimiento y la lectura

✦ Durante todo el día, facilite las oportunidades para que exista una conexión física entre los niños y los adultos

CONSEJOS ADICIONALES:

Alternativas para que el adulto actúe conscientemente, manteniéndose objetivo y racional:

Si el programa de estudios requiere de un tiempo para la rueda y no interfiere con otra actividad de los niños:

✦ Durante el día ponga en marcha períodos cortos de "tiempo para la rueda". Por ejemplo: que duren de 3 a 4 minutos cada uno

✦ Dé a los pequeños la oportunidad para sugerir la canciones que les gusta cantar, siempre y cuando sean apropiadas

Aprendiendo a Usar las Palabras

Dando el Ejemplo del Lenguaje al Pequeño que Empieza a Caminar

SITUACIÓN:

Patricio tiene 28 meses de edad. De acuerdo a lo que dice su mamá, en esta semana, él ya ha mordido dos veces a su hermano de cuatro años. Ahora, Patricio está en la guardería y se ha sentado en las piernas del adulto, quien le está leyendo su libro favorito. Leticia que tiene 35 meses de edad, llega cargando su libro favorito. Cuando Leticia se acerca al adulto, Patricio se voltea y le muerde las manos a Leticia. Ella empieza a llorar.

Respuesta Común del Adulto:

"Patricio ¡no muerdas! Tienes que usar las palabras. ¡Ahora pídele perdón!"

Respuesta Consciente del Adulto:

Un lenguaje descriptivo y afectuoso:

El adulto coloca a Patricio a su lado y en el piso. Luego carga a Leticia y la tranquiliza entre sus brazos, asegurándose de que existe una distancia segura entre los dos niños. Al mismo tiempo, el adulto voltea a ver a Patricio y dice: **"Patricio. Tú le mordiste las manos a Leticia. Eso le dolió. Ahora está llorando"**. (Pausa).

Mirando a Leticia, el adulto dice: **"Leticia, Patricio te mordió las manos. Eso duele mucho"**. El adulto ahora describe las consecuencias de las acciones a los dos niños.

El adulto soba lentamente la mano de Leticia y dice: **"Patricio, cuando alguien está lastimado, nosotros le ayudamos. Ahora le estoy sobando suavemente la mano a Leticia en donde la mordiste.** Espero que esto la ayude a sentirse mejor. Patricio, ¿se te ocurre alguna idea para hacer que Leticia se sienta mejor?"** Acepte cualquier cosa que Patricio diga y Leticia la aceptará. Si él no contesta, no insista por ahora.

"Patricio, tú no debes de morder a nadie. Si Leticia se sienta muy cerca de tí, le puedes decir: "Leticia, estás muy cerca, por favor muevete para atrás". Cuando yo te estoy leyendo un cuento y estás sentado en mis piernas, allí te vas a quedar y vamos a seguir leyendo tu historia. No importa si alguien

más se acerca y se sienta junto a nosotros". Antes de que el adulto comience a leer otra vez y teniendo a Patricio en sus piernas y a Leticia a su lado, dice: **"Estoy leyéndole un cuento a Patricio y tú también puedes escuchar"**.

¿POR QUÉ HACEMOS ESTO?

✦ Cuando suceden este tipo de situaciones, la víctima es la primera en ser atendida y tranquilizada.

✦ Al ofrecerle a Patricio la oportunidad de sentir empatía, el adulto está creando las bases para dicha empatía, aunque el pequeño decida si responde o no.

✦ Al darle a Patricio las palabras correctas que se deben usar y al respetar la actividad que están haciendo juntos, el adulto le refuerza, que aunque haya otros niños alrededor, ellos no van a interrumpir su actividad.

ESTRUCTURA DEL CONCEPTO:

Punto de vista del niño o niña:

"Yo no quiero que te sientes junto a mí".

"Yo estoy sentado en sus piernas y me está leyendo un cuento".

¿Cuál es la importancia de esto?

Los niños y niñas de esta edad, a pesar de que ya tienen un lenguaje, siguen reaccionando impulsivamente antes las situaciones emotivas. Ellos deben de escuchar y tener un lenguaje para solucionar los problemas. Este lenguaje se les deberá ejemplificar varias veces, antes de que entiendan cómo deben usarlo.

EL COMPORTAMIENTO EN GENERAL Y EL DESARROLLO NORMAL:

Los pequeños que empiezan a caminar son muy posesivos y territoriales. Estos razgos son muy fuertes y sensibles. El adulto no debe esperar que el pequeño que está pasando por una reacción emociónal muy intensa, se detenga, piense y "sepa usar sus palabras" o piense que ya las sabe después de una o dos veces que se le han ejemplificando. Esto no es real. Esa expectativa de usar independientemente el lenguaje para solucionar problemas, sólo se puede esperar de los niños y niñas mayores. Aunque, algo que sí es realista, es que el adulto utilice "las palabras" con los pequeños, conforme surjan los problemas.

A los pequeños de párvulos, no les gusta estar entre muchas personas. Están comenzando a definir su propio espacio personal. Si se sienten encerrados, van a reaccionar. Por otro lado, no tienen la consciencia ni el sentido del espacio personal de las otras personas.

Los episodios de mordidas pueden ocurrir y volver a

ocurrir, aunque a esta edad, los pequeños son más expresivos verbalmente. Esa puede ser una respuesta emocional detonada o provocada por algún cambio en sus vidas. Por ejemplo: La llegada de un nuevo bebé, haberse mudado a una nueva casa, etc., lo cual les impide tener acceso a cualquier lenguaje que puedan tener.

ACTITUDES Y COMPORTAMIENTOS QUE CREAN COMUNIDADES CON SENSIBILIDAD:

✦ "Yo no te voy a dejar que lastimes a nadie. Yo te voy a dar "las palabras" para que sepas preguntar por algo y puedas expresar lo que sientes"

CAPACIDAD DE RESPONDER CONSCIENTEMENTE A DIARIO:

✦ Dé ejemplo de empatía con palabras y acciones

✦ Use el lenguaje para solucionar los problemas

✦ Respete el tiempo y el espacio cuando están juntos

CONSEJOS ADICIONALES:

Alternativas para que el adulto actúe conscientemente, manteniéndose objetivo y racional:

Si Patricio continúa tratando de morder, o sigue enojado porque Leticia está cerca, deje de leer el cuento y diga: **"Patricio, vamos a sentarnos todos juntos hasta que te calmes y después volvemos a leer el cuento".**

✧ **Cómo Criar con Cariño**

¡No!

Comportamiento Resistivo y la Necesidad de ser Independientes

Situación:

Orlando tiene 24 meses de edad y está sentado en la mesa tomando un refrigerio. Conforme va tomando su leche, ésta se le derrama en la mesa y en su camiseta. El adulto le dice: "Orlando ¡tiraste la leche en tu camiseta! Vamos a ponerte otra que esté seca. Ven, vamos a cambiarte". Orlando se vá con el adulto para que lo cambie y éste le quita la camiseta. Cuando se voltea para buscar una que esté limpia, Orlando corre hacia la mesa. Al ver que el adulto regresa a la mesa, trayendo la camiseta, Orlando la mira y le dice: "¡No!" y se aleja, corriendo y riéndose. Cuando por fin el adulto lo alcanza, Orlando dice: ¡No! y otra vez trata de escaparse.

RESPUESTA COMÚN DEL ADULTO:

"Orlando, ya deja de estar tan intranquilo. Ven, vamos a ponerte tu camiseta ahora mismo".

RESPUESTA CONSCIENTE DEL ADULTO:

Un lenguaje descriptivo y afectuoso:

"Orlando, a tí te gusta correr y te gusta que yo trate de alcanzarte. Es como un juego para tí ¿verdad?"

En el caso de que el clima sea apropiado, permita que Orlando se quede sin su camiseta durante unos minutos: "Orlando ¿quieres quedarte un rato sin tu camiseta?" (Pausa). "Aquí está tu camiseta limpia. La voy a dejar en esta silla. Te la puedes poner ahora o te la puedes poner cuando estés listo. Si necesitas que te ayude, me avisas". El adulto debe apoyar cualquier decisión que tome Orlando.

En el caso de que el clima no sea apropiado, diga: "¿Orlando, te gusta estar sin tu camiseta?" (Pausa). "Pero hoy hace mucho frío, así que tienes que usarla. ¿Quieres ponértela tú solo o prefieres que yo te ayude?" Apoye cualquier decisión que tome el pequeño.

¿POR QUÉ HACEMOS ESTO?

✦ El hecho de describir el comportamiento del pequeño, ayuda a hacer desaparecer cualquier molestia que el adulto pueda estar sintiendo debido al comportamiento rebelde.

✦ Al tomar la decisión del momento en que el pequeño se

puede poner la camiseta, brinda el apoyo a su independencia. Recuerde que la respuesta puede depender del clima y de las circunstancias. Incluso, si ni el tiempo, ni las circunstancias permiten que Orlando esté sin camiseta, al menos se le ofreció la oportunidad de decidir.

ESTRUCTURA DEL CONCEPTO:
Punto de vista del niño o niña:

"Yo no me quiero poner la camiseta, aunque tú me lo digas"

¿Cuál es la importancia de esto?

El hecho de llegar a ser independiente, se basa en la toma de pequeñas decisiones. Los pequeños necesitan tomar decisiones de "cuándo" y "cómo", para poder establecer su independencia. El adulto debe de apoyar esta toma de decisiones, verificando que siempre sean las apropiadas, que la situación esté segura y de acuerdo a los niveles de habilidad, la hora y los eventos programados.

EL COMPORTAMIENTO EN GENERAL Y EL DESARROLLO NORMAL:

El trabajo principal de los pequeños que empiezan a caminar, es el de llevar a cabo el proceso de ser independientes. Esto lo logran separándose del adulto, físicamente y verbalmente. Su lenguaje se está desarrollando, permitiéndoles establecer sus necesidades. La palabras "No" o "Yo lo hago" son las dos frases típicas que usan los pequeños, para establecer su necesidad de independencia. Esta puede ser una experiencia frustrante para el adulto, pero es una etapa necesaria en el desarrollo del pequeño.

Los pequeños de esta edad, comienzan a darse cuenta de que son seres separados de los adultos. Esto les lleva a hacer actividades mucho más independientes. Por ejemplo: Ponerse ellos(as) mismos(as) su camiseta. Pero necesitan saber que el adulto está allí para cuando lo necesiten.

"Correr o escaparse" es otra manera, "muy divertida" por medio de la cual, los pequeños establecen su independencia. Haciéndolo, están buscando un compañero en el juego que están creando: "Yo estoy corriendo para que tú me atrapes".

Cuando los pequeños hacen esto, no quiere decir que quieran alejarse del adulto, al contrario, están buscando el compromiso y la aceptación del adulto, pero bajo sus propias reglas. Ya sabiendo esto, los adultos pueden llegar a aceptar ser compañeros en este juego que es parte del proceso de desarrollo.

Para los pequeños, gran parte de concerse a sí mismos(as), es estar conscientes de su cuerpo, en lo relacionado a la parte física. El aire en su piel es una sensación física y les gusta mucho, por esa razón quieren quitarse la ropa.

ACTITUDES Y COMPORTAMIENTOS QUE CREAN COMUNIDADES CON SENSIBILIDAD:

✦ "Cuando tú estableces tu independencia, yo te voy a poner los límites apropiados para que estés a salvo, y te voy a dar las opciones correctas".

CAPACIDAD DE RESPONDER CONSCIENTEMENTE A DIARIO:

✦ Proporcionar oportunidades para que la niñez tome sus decisiones y pueda desarrollar su independencia.

✦ Dependiendo de la situación y para lograr que las relaciones con los pequeños sean exitosas, el adulto debe saber cuando ser flexible.

CONSEJOS ADICIONALES:

Alternativas para que el adulto actúe conscientemente, manteniéndose objetivo y racional:

Si el adulto ya ha decidido que Orlando debe de usar su camiseta, pero éste no quiere ponérsela (por ejemplo: sigue diciendo: "¡No!"o corre y se aleja, o trata de ir de un lado a otro), el adulto debe decir: "Orlando, yo se que tú no quieres usar una camiseta, pero ya es la hora de que te la pongas. Te la voy a colocar por la cabeza. ¿Me puedes ayudar a bajarla? Vamos a meter primero un brazo. ¿Lo puedes meter? Ahora ¿puedes meter el otro brazo tú solo?" El hecho de poner atención al proceso de colocarse una camiseta, puede disminuir su rebeldía, lo cual le convierte en "compañero" que acepta el proceso. Tal vez mantenga su rebeldía e intente hacer de la situación, un juego de lucha libre. En cualquiera de los casos, el proceso de ponerse la camiseta y describir lo que se está haciendo, debe continuar. Cuando la camiseta ya está puesta, el adulto debe admitir: "Orlando, yo sé que tú no te querías poner la camiseta". Lea las señales del niño para determinar si necesita que lo calmen, o si prefiere estar solo.

Los Niños y Niñas Grandes No Lloran

Aprendiendo a Interpretar Correctamente las Intenciones y el Comportamiento de la Niñez

SITUACIÓN:

Felipe tiene 30 meses de edad y está jugando él solo con los cubos. De repente empieza a llorar. El cuidador se para junto a él con las manos en la cintura.

Rosa tiene 27 meses y acaba de regresar a la guardería ya que estuvo enferma una semana. Rosa llora todo el día y no hace más que pedir por su mamá. Cuando la mamá de Rosa aparece en la puerta del salón, Rosa corre hacia ella. El cuidador le explica a la mamá de Rosa que: "Rosa no ha dejado de llorar durante todo el día, y yo tengo más niños que cuidar".

RESPUESTA COMÚN DEL ADULTO:

"Felipe, ¿por qué lloras como si fueras un niño chiquito? Ya no eres un bebé. ¿Quieres que te cargue como si fueras un bebito?"

"Rosa, tú has llorado mucho todo el día, pero yo sé que mañana ya no vas a llorar ¿verdad?"

RESPUESTA CONSCIENTE DEL ADULTO:

Un lenguaje descriptivo y afectuoso:

Para Felipe: El cuidador se hinca en el piso, cerca de Felipe y le dice amablemente: **"Felipe, estás llorando. Te ves muy triste. ¿Quieres que te abrace?"** El cuidador estira sus brazos, invitando a Felipe a que se suba en sus rodillas. El cuidador se sienta con Felipe y lo deja llorar todo el tiempo que necesite.

Para Rosa: Cada vez que Rosa comienza a llorar, el cuidador se acerca a ella y se sientan juntos. El le ofrece que se siente en sus rodillas, a la vez que estira sus brazos y le dice de manera suave y atenta: **"Hace tiempo que no habías venido a la guardería. Yo te extrañé mucho"**. (Pausa). Si Rosa continúa llorando, dice: **"Tú estás llorando porque quieres a tu mamá"**. En algún momento del día, mencione al resto del grupo que Rosa no se siente tranquila y pídales si alguen la quiere ayudar, a la vez que le dice a Rosa: **"Acuérdate que cuando te despiertes de tu siesta, tú mamá va a venir a recogerte para llevarte a casa"**.

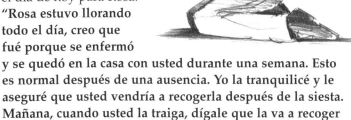

Cuando la mamá de Rosa llega a recogerla, el cuidador le explica lo díficil que fué el día de hoy para Rosa. **"Rosa estuvo llorando todo el día, creo que fué porque se enfermó y se quedó en la casa con usted durante una semana. Esto es normal después de una ausencia. Yo la tranquilicé y le aseguré que usted vendría a recogerla después de la siesta. Mañana, cuando usted la traiga, dígale que la va a recoger después de la siesta"**.

A Rosa, le dice: **"Si mañana sigues extrañando a tu mamá, puedes venir a mi lado y sentarte en mis piernas"**.

¿POR QUÉ HACEMOS ESTO?

✦ Al sentarse junto a Felipe en el piso y observar y describir su comportamiento (por ejemplo: llorando bajito), el cuidador le brinda el apoyo físico y le ayuda a conectar su llanto con la tristeza que siente.

✦ El hecho de abrazar a Felipe, le dá la oportunidad de hablar acerca de su tristeza.

✦ Al sentarse al lado de Rosa y ofrecerle que se siente en sus piernas, el cuidador le está dando tranquilidad física. Al reconocer y describir la ausencia de Rosa y la necesidad de ésta por su mamá, le está ofreciendo confianza. Asmismo, el cuidador ofrece seguridad al describirle sus sentimientos.

✦ Al describir a la mamá de Rosa, de manera objetiva y atenta, el día que pasó su hija, el cuidador le confirma a Rosa que la va a apoyar emocionalmente cualquier día y en el momento en que lo necesite. Asimismo, le está dando a su mamá, el lenguaje que debe usar para apoyar a Rosa en la casa.

ESTRUCTURA DEL CONCEPTO:

Punto de vista del niño o niña:

Felipe: "Me siento triste"

Rosa: "No me siento bien y quiero estar en mi casa, con mi mamá"

¿Cuál es la importancia de esto?

El llanto es una expresión de los sentimientos de la niñez. El hecho de reconocerlo conscientemente, hace que los niños y niñas se sientan seguros de la validez y respeto que sus sentimientos merecen. Si el adulto responde al llanto de manera comprensiva y con compasión, la auto-imagen positiva del pequeño se fortalece. En cambio, si la respuesta es sarcástica o condescendiente, la imagen que el pequeño tiene de si mismo, se debilita.

EL COMPORTAMIENTO EN GENERAL Y EL DESARROLLO NORMAL:

La niñez tiene muchos sentimientos muy fuertes, los cuales expresa físicamente. El llanto expresa el dolor físico ó emocional, ya que todavía no es capaz de conectar su comportamiento, con sus sentimientos y al ser sorprendida por una emoción, reacciona a ella sin entender el por qué. Por medio de la descripción contínua, del comportamiento y estableciendo conexiones entre el comportamiento y lo que el pequeño parece estar sintiendo, el adulto dá validez y respeto a dicho comportamiento. Esta ratificación, le envía un mensaje al pequeño: "Mis sentimientos son importantes y voy a recibir apoyo mientras aprendo a sobreponerme". Asimismo, proporciona un mensaje al adulto: "Los sentimientos de la niñez son reales y verdaderos".

ACTITUDES Y COMPORTAMIENTOS QUE CREAN COMUNIDADES CON SENSIBILIDAD:

✦ "Si quieres llorar, yo voy a darte el apoyo y la tranquilidad física y emocional que necesitas, así como el lenguaje descriptivo que te ayudará a entender y a recuperarte".

CAPACIDAD DE RESPONDER CONSCIENTEMENTE A DIARIO:

✦ Reconocer que los sentimientos de la niñez son reales.

✦ Explicar a los niños y niñas que el llanto es una expresión apropiada y sana para demostrar el dolor, el miedo, la pena, etc.

✦ Ejemplificar y apoyar los comportamientos para salir adelante.

CONSEJOS ADICIONALES:

Alternativas para que el adulto actúe conscientemente, manteniéndose objetivo y racional:

Para Felipe: Si no hay manera de consolarlo, debe hacer preguntas para evitar la intranquilidad física. Por ejemplo: **"Felipe ¿te duele algo?"**

Para Rosa: Si no hay manera de consolarla, debe llamar a la mamá de Rosa (si es posible), para que Rosa pueda hablar con ella y sentirse segura. En ese momento la mamá puede decidir si la quiere ir a recoger antes de que termine el día.

Para Felipe y Rosa: Si no hay manera de consolarlos y tranquilizarlos, en algunos casos se les puede dejar solos, pero siempre a la vista de un adulto: **"¿Te quieres quedar un momento solo(a)?"** Si parecen estar cansados, permita que tomen una siesta.

¡Eso es Mió!

El Sentido de Posesión del Pequeño que Empieza a Caminar

SITUACIÓN:

Pili tiene 32 meses de edad, y camina hacia Ceci, que tiene 18 meses y que está empujando su cochecito. Pili dice: "¡Eso es mío! Y se lo quita. Ceci se voltea para jugar con un osito de peluche. Cuando lo coge, Pili se lo quita y dice: "¡Eso es mío!" Ceci dá vueltas por el cuarto y encuentra un perrito de cuerda. Pili la observa, le arrebata el juguete y le vuelve a decir: "¡Eso es mío!"

RESPUESTA COMÚN DEL ADULTO:

"Pili, deja de quitarle las cosas a Ceci". El adulto le quita el perrito de cuerda a Pili y se lo regresa a Ceci. "Necesitas compartir. Tén Ceci, puedes jugar con este juguete". El adulto le dá a Pili otro juguete.

RESPUESTA CONSCIENTE DEL ADULTO:

Un lenguaje descriptivo y afectuoso:

Al darse cuenta de que Pili le arrebató el perrito de cuerda a Ceci, el adulto debe de agacharse y ponerse al nivel de las niñas, colocando a una de cada lado, y diciendo: **"Pili, Ceci está jugando ahora con el perrito de cuerda. Si lo quieres, tienes que pedírselo así: "Ceci ¿me puedes prestar el perrito?"** Dele la oportunidad a Pili de decir las palabras y después voltee hacia Ceci y diga: **"Pili te pidió prestado el perrito de cuerda para jugar, pero tú estás jugando con él ¿se lo quieres dar?"**

Si Ceci indica o dice que "sí", diga: **"Pili, Ceci te está dando el perrito".** "Dile, gracias por darme el perrito".

Si Ceci indica o dice que "no", diga: **"Pili, Ceci no quiere darte el perrito, porque está jugando con él ahora. Yo te voy a ayudar a buscar otra cosa con la que puedas jugar".** Cuando Pili encuentre otro juguete, diga: **"Pili, ahora estás jugando con la muñeca y puedes seguir jugando en ella".** (Probablemente usted va a tener que repetir esto varias veces).

¿POR QUÉ HACEMOS ESTO?

✦ El hecho de describir en ese momento, quién es la persona que tiene el juguete, le dá un significado, un lenguaje y establece los límites acerca del derecho de propiedad y posesión.

✦ Permitir que Ceci decida si quiere o no dar su juguete, es reconocer que ella tiene la posesión y que sólo ella, puede decidir si se queda con él o no. La presencia del adulto es escencial para facilitar las opciones de Ceci.

ESTRUCTURA DEL CONCEPTO:

Punto de vista del niño o niña:

"Yo lo ví y eso es mío"

¿Cuál es la importancia de esto?

La edad en la que los pequeños empiezan a caminar, es el tiempo en que la niñez aprende a defender sus derechos. Algunos(as) niños(as) les quitan las cosas a otros(as), y algunos(as) permiten que se las quiten. Al permitir que un(a) niño(a) le quite algo a otro(a), se corre el riesgo de crear peleoneros(as) y víctimas. Por lo cual, la responsabilidad del adulto, es la de enseñar el lenguaje y las actitudes apropiadas, para que la niñez defienda sus derechos de manera correcta.

EL COMPORTAMIENTO EN GENERAL Y EL DESARROLLO NORMAL:

Los pequeños que empiezan a caminar, viven en el "presente" y en el "ahora", así que "ahora" es el único concepto de tiempo que tiene significado para ellos. Usar la palabra "ahora" ayuda a explicar y a apoyar el desarrollo de su concepto de posesión. Por ejemplo: " Ella lo tiene ahora y es de ella" o "Tú lo tienes ahora y es tuyo".

Asimismo, los pequeños de párvulos, están en la etapa egocéntrica del desarrollo. Ellos perciben el mundo moviéndose alrededor de ellos y todo lo que está en él, les pertenece. Es natural y común, el hecho de que los pequeños le quiten las cosas a los otros niños. Así pues, cada "incidente" de posesión que ocurra, debe ser tomado por el adulto como un momento para fomentar la acción de compartir. Todos podemos compartir algo que tengamos en nuestra posesión. Compartir debe ser voluntario, por lo cual, debe ser moldeado y descrito muchas veces.

Si se permite que el pequeño le quite las cosas a los demás sin pedir permiso, se le está dando el sentido de poder sobre los otros, lo cual le llevará a ser un(a) peleonero(a). Los adultos deben permitir que la niñez se sienta en control de su vida. Para los pequeños, esto puede significar decir "si" o "no" para compartir y preguntar si pueden tener lo que quieren.

ACTITUDES Y COMPORTAMIENTOS QUE CREAN COMUNIDADES CON SENSIBILIDAD:

✦ Si alguien te arrebata algo, yo te daré el lenguaje y el apoyo para defenderte.

CAPACIDAD DE RESPONDER CONSCIENTEMENTE A DIARIO:

✦ Intervenir cada vez que alguien le quite el juguete al otro, sin importar la reacción del pequeño.

✦ Explique a los pequeños que nadie les puede quitar nada, a menos que ellos(as) quieran prestarlo

✦ Siempre ejemplifique el acto de compartir, como una acción voluntaria

CONSEJOS ADICIONALES:

Alternativas para que el adulto actúe conscientemente, manteniéndose objetivo y racional:

Si Pili se vuelve a acercar a Ceci y le vuelve a quitar el juguete, el adulto debe acercarse rápidamente a las niñas y decir: **"Pili, yo sé que quieres jugar con ese juguete, pero recuerda que tú no lo puedes tener porque es Ceci quien lo tiene ahora"**. Pili seguramente se enojará, así que cuando le devuelva el juguete a Ceci, usted dice: **"Le estoy devolviendo esto a Ceci, porque ella lo tenía primero. Vamos a buscar algo con lo que puedas jugar y entonces te lo podrás quedar"**.

Si Pili continúa queriendo quitarle los juguetes a otros niños, un adulto debe de observarla y estar listo para intervenir de nuevo y de manera rápida, cuando este tipo de situación, esté a punto de volver a suceder.

Nuestro Juego

Observando el Desarrollo del Sentido de Capacidad Propia

SITUACIÓN:

Armando y Genaro tienen 33 y 34 meses de edad, respectivamente. Ellos están jugando a empujar los carritos de plástico del supermercado en un camino cercado. Los niños están gritando y riéndose. Al llegar al final del camino, logran detenerse y no chocan los carritos contra la cerca. Esto lo repiten varias veces, siendo capaces de correr sin chocar uno contra el otro y sin chocar contra la barda. Después de observar a los niños, Gina, que tiene 33 meses de edad, coge otro carrito y se une a la diversión. Los tres niños siguen jugando durante unos minutos más.

RESPUESTA COMÚN DEL ADULTO:

"¡Armando! ¡Genaro! ¡Gina! Están yendo muy rápido. Vayan más despacio, antes de que alguien se lastime".

RESPUESTA CONSCIENTE DEL ADULTO:

Un lenguaje descriptivo y afectuoso:

El adulto se dá cuenta de que ese juego puede ser una actividad muy peligrosa. Pero, de cualquier manera, en lugar de intervenir inmediatamente, espera un momento y observa lo que está sucediendo. Después de observar el juego, se dá cuenta de que el comportamiento de los niños no es peligroso. En este caso, la primera reacción apropiada, es observar en silencio.

Conforme el juego va terminando, el adulto describe el comportamiento de los niños: **"¡Guau! Armando, Genaro y Gina, estaban yendo muy rápido, pero lograron parar los carritos, antes de chocar contra la barda. Armando y Genaro dejaron que Gina jugara con ustedes. Los escuché reir y gritar. ¡Se veía que ustedes estaban divirtiéndose mucho con su juego!"**

¿POR QUÉ HACEMOS ESTO?

✦ Al mantenerse cerca de los niños y observarlos en silencio, el adulto está cumpliendo con su responsabilidad de mantenerlos a salvo. La observación demuestra que los niños han creado un juego, con las reglas que pueden seguir y que les mantienen a salvo. Al no haber intervenido, el adulto les envió a los niños un mensaje de confianza y de saber que son capaces de jugar ese juego de manera segura.

✦ Al describir la manera en que los niños aceptaron que Gina jugara con ellos y al describir que se estaban riendo y gritando de gusto, el adulto les dió el lenguaje y el significado para que sepan compartir y sean felices.

ESTRUCTURA DEL CONCEPTO:

Punto de vista del niño o niña:

"Yo puedo crear mi propio juego, que es divertido y seguro"

¿Cuál es la importancia de esto?

Cuando el adulto demuestra tener confianza en la capacidad de la niñez para crear sus propios juegos y poder jugar sin peligro, los pequeños adquieren el sentido de su propia capacidad. Los niños y niñas saben que pueden crear sus propios juegos, poner sus propias reglas, jugar cooperando y recibir el apoyo y la confianza por parte de los adultos, a quienes ellos(as) quieren mucho. Esta situación fomenta su necesidad de ser independientes de los adultos. El adulto silente y atento, que se mantiene cerca de la actividad, le dá a los pequeños, la seguridad y la tranquilidad que necesitan.

EL COMPORTAMIENTO EN GENERAL Y EL DESARROLLO NORMAL:

Generalmente, los pequeños que empiezan a caminar buscan su independencia, pero a la vez buscan la aprobación y la tranquilidad provenientes de los adultos, a quienes ellos quieren. Algunas veces, esa aprobación no se tiene que dar interviniendo directamente, sino que se otorga en silencio y de manera apropiada. Los pequeños necesitan hacer mucho ruido, tener mucho espacio para correr y estar en situaciones donde puedan poner en práctica el control de su cuerpo. Cuando la actividad envuelve algo que es importante e interesante para ellos, logran tener un lapso de larga atención y persistencia. Por último, es normal y necesario que ellos repitan una y otra vez la misma cosa hasta que dominen esa habilidad.

ACTITUDES Y COMPORTAMIENTOS QUE CREAN COMUNIDADES CON SENSIBILIDAD:

✦ "Yo voy a estar atento(a) para apoyar tu independencia y tu creatividad y solamente intervendré cuando sea necesario, para mantenerte a tí y a tus amigos(as) a salvo".

CAPACIDAD DE RESPONDER CONSCIENTEMENTE A DIARIO:

✦ Ser un(a) observador(a) atento(a) y silente

✦ Describir las acciones para expresar los sentimientos de felicidad

✦ Confiar en que la niñez sí tiene la capacidad de hacer bien las cosas

✦ Darse cuenta de la necesidad de ser idependiente, pero al mismo tiempo, mantenerse conectados

CONSEJOS ADICIONALES:

Alternativas para que el adulto actúe conscientemente, manteniéndose objetivo y racional:

En el caso de que el juego se vuelva peligroso, debido a que los niños chocan contra la barda, el adulto debe pararlo y explicar lo que está sucediendo: **"Es muy peligroso cuando ustedes corren y chocan contra las cosas. Se pueden lastimar o pueden romper el carrito. Muéstrenme la manera en que ustedes sí pueden correr y detenerse, antes de chocar"**. Si los niños no paran y chocan los carritos contra las cosas, el adulto debe volver a parar el juego y debe repetir las instrucciones a los niños. Por ejemplo: Pueden formar una pista de obstáculos, para que empujen sus carritos y no choquen contra nada. También pueden hablar acerca de lo que pueden meter en el carrito, etc.

Si el juego se vuelve peligroso, debido a que los niños chocan uno contra el otro, el adulto parará el juego para describir lo que está sucediendo: **"Estan chocando unos con otros con sus carritos. Eso es muy peligroso. Alguien se puede lastimar. ¿De qué manera pueden jugar sin chocar contra los demás?"** Apoye las sugerencias que le dén los niños para jugar de manera segura o sino, vuelva a dar las instrucciones otra vez.